İsa Kimdir?

Greg Gilbert

Önsöz, Trip Lee

KARANLIKTAN
IŞIĞA YAYINLARI

KARANLIKTAN IŞIĞA YAYINLARI

Davutpaşa Cad. Kazım Dinçol San. Sit.
No: 81/87 Topkapı, İstanbul – Türkiye
info@karanliktanisiga.com
www.karanliktanisiga.com
www.9marks.org
Tel: (0212) 567 89 93

Kitap: İsa Kimdir?
Özgün Adı: Who Is Jesus?
Yazar: Greg Gilbert
Çeviri: Ali Can Demir

Bu kitabın düzeltme işlemleri Karanlıktan Işığa Çeviri
Takımı tarafından yapılmıştır.

9Marks ISBN: 978-1-951474-42-3
T.C. Kültür ve Turizm Bakanlığı Sertifika No: 16231

Baskı: Anadolu Ofset – Tel: (0212) 567 89 92
Davutpaşa Cad. Kazım Dinçol San. Sit.
No: 81/87 Topkapı, İstanbul – Türkiye
Haziran 2020

İsa Kimdir?

Greg Gilbert
Önsöz, Trip Lee

"Bu kitap şüphesiz Hristiyan bir kaynak ancak şüphecilere ve arayışta olanlara karşı kibar ve yumuşak olmanın ötesinde, okuyucuyu İsa hakkında ciddi ve derin düşünmeye yönlendiriyor. Gilbert aslında daha önce çokça ele alınan bu konuya, hem gerçekleri hem de bu gerçeklerin önemini birlikte anlatarak yepyeni bir bakış açısıyla yaklaşıyor. Kitap bir yandan detaylı bir sanat eseri gibiyken, aynı zamanda basit ve anlaşılabilir, harika bir Kutsal Kitap teolojisiyle dolu olmayı başarıyor. Kitap, siz okuyuculara İsa'yı bizzat tanımak için bir davetiye niteliğinde."

Mark Dever, Pastör, Capitol Hill Baptist Kilisesi, Washington, DC; Başkan, 9Marks

"Bu kitap iki işi bir arada yapıyor. İsa'yı kendi zamanı ve bağlamında değerlendirirken, neden bu bağlamla sınırlı bırakılamayacağını da göstermeyi başarıyor. Bu kitap, hem daha önce İsa hakkında hiç düşünmemiş olanlar hem de İsa'yı gayet iyi tanıdığını düşünenler için.

Timothy George, Kurucu Dekan, Beeson Divinity School; Editör, *Reformation Commentary on Scripture*

"Bu kısa kitap zamanın başlangıcından beri yaşamış en harika kişiyle, çalıştırdığım sporcular dahil olmak üzere bütün insanları tanıştırmak için mükemmel bir araç."

Koç Ron Brown, University of Nebraska Cornhuskers

"Ben her zaman İsa'nın hayatıyla ilgili kısa ama açık bilgiler içeren, Mesih'in gerçekten kim olduğunu ve ne yaptığını anlamak isteyen birisine verebileceğim bir kitap arayışındayım. Şimdiyse elimde "İsa Kimdir?" var. Greg Gilbert şu noktada haklı: "İsa'nın hikâyesi sadece iyi bir adamın hikâyesi değil, Yüce Taht'ta hakkı olan bir kişinin hikâyesidir." Kitap-

ta sunulan kanıtlar hakkında düşünün ve bunların sizi nere-
ye götürdüğünü görün."

Daniel L. Akin, Başkan,
Southeastern Baptist Theological Seminary

Justin, Jack ve Juliet için

İÇİNDEKİLER

ÖNSÖZ

Daha önce birini başkasıyla karıştırdığınız oldu mu? Lise döneminde en iyi arkadaşımla bir partide olduğumu hatırlıyorum. Arkadaşımız Nicole'un bir köşede eğlendiğini gördüğümüzde partiye daha yeni gelmiştik. Bundan bir gün önce Nicole ve hamile bir arkadaşıyla görüşmüştük ve yanına gidip selam vermeye karar verdik. Arkadaşım, Nicole'e merhaba dedi, gülümseyerek yanındaki arkadaşının göbeğini okşadı ve "Bebek nasıl?" diye sordu. Tek sorun, bu kişinin önceki gün görüştüğümüz hamile arkadaş olmamasıydı. O gün ilk konuşup o soruyu soran kişi ben olmadığım için çok sevinmiştim.

Bazen birinin kim olduğunu karıştırmak utanç verici veya gülünç durumlara sebep olabilir. Aptal görünmek veya birini üzme riskini göze almamak için, konuşmaya başlamadan önce emin olmak her zaman iyidir.

Ellerinizde tuttuğunuz kitap, birinin kimliğini anlamak üzerine yazıldı ama burada durum çok daha ciddi. İsa hakkında konuşurken, birisini başkasıyla karıştırmaktan çok daha başka bir şeyden bahsediyoruz. İsa'nın kimliğini anlamakla ilgili hata yaptığımızda, bu, utanç verici olmaktan öte, korkunç bir hatadır.

Bundan dolayı yazar Greg Gilbert, daha başlıktan itibaren "İsa Kimdir?" diyerek bunun hayatımızda sorabileceğimiz en önemli soru olduğunu belirtiyor. Henüz arayışta olanlar ve şüpheciler hatta bazı Hristiyanlar için bu komik veya abartılı olabilir ama okumaya devam ederseniz göreceksiniz ki bu, gerçekten hayatımızın tamamını etkileyecek bir sorudur. Elbette sokakta veya bir partide Barış Prensi'yle karşılaşacak değiliz ve bu yüzden de durum sadece gördüğümüz bir yüzle duyduğumuz bir adı eşleştirmekten ibaret değildir. Önemli olan, O'na layık olduğu yücelik ve güvenle yaklaşmamızdır.

Bir örnek olarak Greg kitapta şöyle yazıyor: "İsa'nın gerçekten Tanrı olduğunu anladığınızda ve O'nun Baba Tanrı'yla özel ve başkasında olmayan bir ilişkiye sahip olduğunu anladığınızda, artık sizi yaratan Tanrı'yı tanımak için İsa'yı tanımanız gerektiğini anlarsınız. Başka yol yoktur."

Eğer İsa, herhangi bir adam olsaydı, O'nu tanımak hiçbir özel anlam ifade etmezdi. Ama eğer İsa, Tanrı'nın Oğlu ve dünyanın tek Kurtarıcısı'ysa, O'nu tanımanın taşıdığı anlam her şeyin ötesindedir.

İsa'yı çok sık olarak sıradan bir adamla veya iyi bir öğretmenle hatta bir peygamberle karıştırırız. Ama bu tanımların hiçbiri O'nu ifade etmek için yeterli değildir. Bu küçük ama önemli kitapta Greg, İsa'nın gerçekten kim olduğunu anlamamıza yardımcı oluyor.

Ben "İsa Kimdir?" kitabını özellikle de merak uyandırıcı olduğu için seviyorum. Gerçekten kitabı okurken keyif aldım. Herkesin okuyabileceği basitlikte bir kitap ve aynı zamanda gerçek sorulara değinip bunlara cevaplar veriyor. Kitabı sevmemin bir başka nedeni de, Kutsal Yazılar'la dolu olması. Greg, İsa'ya yaklaşmak adına yeni yollar uydurmaya veya bulmaya çalışmıyor. Kendisi sadece tarihsel gerçeğin peşinde. Kimdir bu İsa? Neden bu kadar önemli? İsa'yı hiç görmemiş tarihçileri dinlemek yerine Greg, O'nunla bizzat tanışmış olan güvenilir tanıkların söylediklerine odaklanıyor. Tanrı'nın Sözü'ne odaklanıyor. O'nun bu yaklaşımı, kitabı yetkiyle ve insanların yaşamlarını değiştirme potansiyeliyle donatıyor.

İsa bazı radikal iddialarda bulunmuştur ve dünya tarihinde hakkında en çok konuşulan kişi yine İsa'dır. Kim olduğunu iddia etti? Gerçekten iddia ettiği kişi mi? Bu sorulara cevap bulmada size bundan daha çok yardımcı olabilecek başka bir küçük kitap düşünemiyorum. Bence sizler de benim gibi bu kitaptan bereket alacaksınız.

Trip Lee
Rapçi; Kilise Önderi; Yazar,
Rise: Get Up and Live in God's Great Glory

1

Ne Düşünüyorsunuz?

İsa'nın Kim Olduğunu Düşünüyorsunuz?

Belki de daha önce bu konuda çok düşünmediniz. Bir taraftan bu anlaşılabilir bir şey. Ne de olsa, birinci yüzyılda tanınmayan bir marangozun ailesinde doğmuş Yahudi bir adamdan bahsediyoruz. O, hayatı boyunca asla siyasi bir mevki sahibi olmadı, asla bir ulusa hükmetmedi, asla ordulara kumanda etmedi. Hatta Roma İmparatoru'yla bile hiç tanışmadı. Bunların yerine İsa, üç buçuk yıl boyunca insanlara ahlaki değerler ve ruhsal konulara ilişkin öğretilerde bulundu. Yahudilere, Yahudi Kutsal Yazıları'nı okuyup, bunları açıkladı ve eğer birebir tanıklara inanacak olursak, aynı zamanda bazı sıra dışı şeyler gerçekleştirdi. Ama yine de İsa, zamanının yöneticileriyle azımsanmayacak derecede ters düştü ve hizmetinin başlamasından çok da uzun bir süre geçmeden, birçok validen biri olan bir Roma valisi (Valiler gücü elinde bulunduranlara hizmet eden, imparatorluk sisteminde yer alan bir tür ara eleman niteliğindeydi) tarafından çarmıha gerilerek idam edildi. Tüm bunların yanında, bu olanlar iki bin yıl önce gerçekleşti. Öyleyse biz neden hala bu kişi hakkında konuşuyoruz? Neden bu İsa denen adamdan, bir başka deyişle, kaçamıyoruz?

İsa'ya Bir Şans Verin

İsa hakkında kişisel fikriniz ne olursa olsun, hepimiz O'nun tarihin en önemli kişilerinden biri olduğu konusunda hemfikir olabiliriz. Saygın bir tarihçi, İsa'nın tarihte bıraktığı etkiye dair şunu söylüyor: "Eğer bu tarihten, İsa'nın isminin en ufak bir izini taşıyan her metal parçasını süper mıknatıs gibi bir şeyle söküp almamız mümkün olsaydı, geriye ne kalırdı?"[1] Bu güzel bir soru ve cevabı da muhtemelen şöyle: "Pek bir şey kalmazdı."

Ancak İsa, yalnızca tarihin ücra bir köşesinde bulunan kaçınılmaz bir figür değildir. O, günümüz dünyasında da aynı oranda kaçınılmazdır. Bir düşünün, tanıdıklarınız arasından en az bir veya iki kişi Hristiyan olduğunu söyler. Hatta bazıları düzenli olarak kiliseye katılır ve İsa ile ilgili veya doğrudan İsa'ya ilahiler söylerler. Onlara soracak olursanız, size belki İsa'yla bir *ilişkiye* sahip olduklarını ve hayatlarını İsa'nın etrafında inşa ettiklerini söylerler. Sadece bu da değil, aynı zamanda yaşadığınız şehirlerin çeşitli yerlerinde farklı kiliseler görebilirsiniz. Bu binaların bazılarında Pazar günleri bir araya gelen büyük topluluklar vardır. Bu binaların bazılarıysa artık kilise değildir. Önemli olan nokta şudur ki dikkat ederseniz, iki bin yıl önce yaşamış olan bu adamın izlerini baktığınız her yerde görürsünüz. Bütün bunlar kendimize şu soruyu sormamıza neden olur: O kimdi?

---

1 Jaroslav Pelikan, *Jesus through the Centuries: His Place in the History of Culture* (Yale University Press, 1999), 1.

Bu kolay bir soru değil ve bunun temel sebebi de, İsa'nın geçmişte veya *şu anda* kim olduğu noktasında toplum genelinde kabul gören bir karara varamıyor olmamızdır. Artık çok az kişi O'nun var olduğu gerçeğinden şüphe duyuyor. İsa'nın hayatına ilişkin temel gerçekler -nerede doğduğu, nerede büyüdüğü, nasıl öldüğü- söz konusu olduğunda, genel anlamda bir fikir birliği vardır. Ama hayatı ve ölümünün ne kadar önemli olduğu konusunda, kendine Hristiyan diyen insanlar arasında dahi büyük anlaşmazlıklar vardır. İsa bir peygamber miydi? Bir öğretmen miydi? Yoksa bambaşka bir şey miydi? Tanrı'nın Oğlu muydu? Yoksa olağanüstü yetenekli bir adam mıydı? Peki, İsa kendisinin *kim* olduğunu düşünüyordu? Romalılar tarafından öldürülmesini ele alalım. Bu en başından beri planın bir parçası mıydı yoksa kendisi sadece yanlış zamanda yanlış yerde miydi? Sonrasında da şu en büyük soru karşımıza çıkıyor: Çarmıha gerildikten sonra, hepimiz gibi ölü olarak kaldı mı yoksa kalmadı mı?

Bu kadar fikir ayrılığına rağmen, herkesin hemfikir gibi göründüğü bir konu var: İsa olağanüstü bir kişiydi. Sıradan insanların yapamadığı şeyleri yaptı ve söyleyemediği şeyleri söyledi. Dahası, İsa'nın söyledikleri, birtakım özlü sözlerden ve ahlaki laflardan ibaret değildi. Söylemleri, nasıl daha iyi bir yaşam sürülebileceğine dair birtakım öğütlerden de oluşmuyordu. Hayır, bunun yerine İsa, "Ben ve Baba biriz" (Baba kelimesiyle Tanrı'yı kastetmiştir) ve daha da şoke edici olarak, "Benim aracılığım olmadan Baba'ya kimse gelemez" demiştir.[2]

Şimdi ne kastettiğimi anlıyor musunuz? Sıradan insanlar böyle şeyler söylemez! Ben ve Tanrı biriz mi? Benim aracılığım olmadan Baba'ya kimse gelemez mi? Bunlar hayatta

---

2 Yuhanna 10:30; 14:6

benimseyip benimsememeye karar vereceğiniz ahlaki öğretiler değiller. Bunlar birer iddiadır. Bunlar, İsa'nın *gerçek* olduklarını düşündüğü şeylerdir. Elbette siz O'nun söylediklerini kabul etmeyebilirsiniz. Hemen ret de edebilirsiniz. Ama bir düşünün. Bu kadar hızlı tepki vermemek daha mantıklı olmaz mıydı? Söylediklerini çöpe atmadan önce bu adamı biraz da olsa tanımanız gerekmez mi? Siz bu kitabı elinize alıp okuma nezaketini gösterdiğiniz için ben de sizden bir şey rica edeyim. İsa'ya bir şans verin. Belki İsa hakkında daha çok şey öğrendikçe, O'nun kendisi hakkında, Tanrı hakkında ve *sizin* hakkınızda söylediklerine inanmak için birçok sebep olduğunu göreceksiniz.

İsa Hakkında Öğrenmeye Nereden Başlamalı?

Peki, iki bin yıl önce yaşamış bir adamı nasıl tanıyabilirsin ki? Diriliş inancıyla başlasak bile, cennetin kapısını çalıp İsa'yla birer kahve içemeyiz ki. Öyleyse İsa hakkında öğrenmeye nereden başlamalı? Birçok tarihi belge İsa'nın varlığı, hayatı, ölümü ve hatta dirilişiyle ilgili referanslar verir. Bu belgelerden İsa'yla ilgili bir iki detayı öğrenebiliriz de. Ancak bu belgelerin birçoğunda en az birkaç tane problem vardır. Birincisi, belgelerin çoğu İsa'dan çok sonra, bazı durumlarda yüzlerce yıl sonra yazılmıştır. Bundan dolayı çoğu belge bize İsa'nın *gerçekten* kim olduğunu anlama konusunda yardımcı olmaz. Dahası, en güvenilir belgeler dahi, O'nun hakkında çok şey söylememektedir. Belgelerin asıl ilgilendiği konular başka şeylerdir ve bu nedenle de O'nun kişiliğiyle ilgili detaylara girmek yerine, sadece adını geçirip O'na bazı referanslar yaparlar.

Ancak elimizde bir hazine niteliğinde, detaylı, kişisel, tanıklara dayalı, O'nun sözlerini teker teker aktaran, yaptıklarını gösteren bir kaynak var. Bu kaynak Kutsal Kitap'tır.

Kitabı kapatıp gitmeden önce bir saniye bekleyin! Biliyorum, bazı insanlar Kutsal Kitap sözü geçince "Hristiyanların kitabı" diye düşünüyor ve bu nedenle de bu kitabın taraflı olduğunu ve doğru bilgi elde etme adına işe yaramaz olduğunu düşünüyorlar. Siz de böyle düşünüyorsanız, bana göre sadece kısmen haklısınız. Kutsal Kitap, gerçekten de Hristiyanların kitabıdır. Şüphesiz Kutsal Kitap'ın ikinci kısmını oluşturan Yeni Antlaşma metinleri, İsa'nın söylediklerine iman eden kişiler tarafından yazılmıştır. Ayrıca bu kişiler, Eski Antlaşma metinlerinin İsa'nın gelişini haber verdiğine de iman etmişlerdi. Bu kişiler imanlı kişilerdi. Bu reddedilemez bir gerçek. Ama bu, İncil yazarlarının bir tür gizli ve sinsi bir planın parçası oldukları anlamına gelmez. Bir düşünün, hedefleri ne olabilirdi? Şöhret elde etmek mi? Para kazanmak mı? Çok büyük ve zengin bir kilisenin yöneticileri olmak mı? Bununla ilgili kafa yorup bir sürü tahminde bulunabiliriz ama amaçları eğer yukarıda saydığımız şeylerse, planları feci şekilde başarısız olmuş demektir. Yeni Antlaşma metinlerini yazanların çoğu, İsa hakkında söyledikleri şeylerden ötürü öldürülebileceklerini biliyorlardı *ve buna rağmen,* söylemeye devam ettiler.

Şimdi anlıyor musunuz? Bir şeyi yazma amacınız eğer ünlü olmak, para kazanmak veya güç kazanmak gibi şeylerse, başınız zora düştüğünde ve kellenizden olma ihtimali ortaya çıktığında, hikâyeye çok da sadık kalmazsınız. Bu şartlar altında hâlâ sadık kalmanın tek yolu, amacınızın *gerçekten ne olduğunu anlatmak olmasıdır.* Kutsal Kitap'ta gördüğümüz de budur. İsa Mesih'in dediklerine iman eden, O'nun kim olduğunu, neler yaptığını ve neler söylediğini gerçeğe en uygun şekilde aktarmak için yazıya geçiren bir tanıklar topluluğu görmekteyiz. Öyleyse bizler, İsa'yı nasıl tanıyabiliriz? En iyi yol bu belgeleri, yani Kutsal Kitap'ı okumaktır.

Hristiyanlar, Kutsal Kitap'ın İsa hakkında yapılmış iyi bir derlemeden çok daha fazlası olduğuna inanmaktadırlar. Onlar Kutsal Kitap'ın Tanrı'nın Sözü olduğuna inanırlar. Bir başka deyişle Tanrı, Kutsal Kitap'ı yazanları, O'nun söylemek istediği şeyleri yazmaları üzere yönlendirmiştir. Dolayısıyla da yazdıkları her şey kesinlikle doğrudur. Sizler de tahmin etmişsinizdir ki, şahsen ben de Hristiyan'ım ve Kutsal Kitap'la ilgili olarak ben de aynı gerçeklere inanıyorum.

Ama belki bu şu an sizin için çok uzak bir inanç ve bu tamamen normal. Kutsal Kitap'ın Tanrı Sözü olduğuna inanmasanız bile, Kutsal Kitap metinleri hala daha tarihsel bir belge niteliğindedir. Kutsal Kitap hala daha İsa'yı doğru bir biçimde sunma niyetinde olan tanıkların yazmış olduğu yazılarıdır. Bu yüzden de en azından şimdilik, Kutsal Kitap'a bu şekilde yaklaşabilirsiniz. Bu yazıları okurken, onlara sorular yöneltin, sorgulayın, eleştirin ve başka bir tarihi kaynağı okur gibi dikkatli bir şekilde okuyun. Kendinize şu şekilde sorun: "Bunun doğru olduğuna inanıyor muyum yoksa inanmıyor muyum?" Sizden tek ricam, Kutsal Kitap'a tarafsız ve adil yaklaşmanız. Lütfen bu kitabı "Dini Safsatalar" diye etiketlediğiniz bir kutuya atıp saçma, eski moda ve yanlış olarak damgalamayın.

Yeni Antlaşma'yı yazan kişiler zeki kişilerdi. Onlar dünya üzerindeki en güçlü imparatorluğun vatandaşlarıydılar. Bugün bile okullarda gördüğümüz felsefeyi ve edebiyatı okuyorlardı. (Hatta az da olsa bana benziyorsanız, belki o felsefi ve edebi kitapları sizden çok daha dikkatli ve düşünerek okuyorlardı!) Dahası da şu ki, onlar gerçeği kurgudan ayırt edebiliyorlardı. Yazarlar, yanılgıları ve aldatmacaları görüp bunların tarihle ve gerçekle nasıl ters düştüğünü anlıyorlardı. Hatta onlar bu farkları bugün bizim bile yaptığımızdan daha keskin ve dikkatli bir şekilde ortaya koymuşlardı. Bu kişilerin yazdıklarını okudukça da fark edeceksiniz ki, yazılarda bahsi geçen bu İsa denen adama gerçekten iman etmişlerdi. Afallamışlardı ama yine de iman etmişlerdi ve aynı zamanda başkaları da bu gerçeği duysun ve iman etsin istemişlerdi. Dolayısıyla insanların bu yazıları okuyacağı, İsa'yı onlar gibi diğer insanların da tanıyacağı ve belki de İsa'nın gerçekten de inanılmaya ve güvenilmeye değer olduğunu anlayacakları umuduyla bunları yazıya geçirdiler.

Benim de bu küçük kitap aracılığıyla umduğum şey aynıdır. Umudum sizlerin bu ilk Hristiyanların yazıları aracılığıyla İsa'yı tanımanız. Bu kitapta, Yeni Antlaşma'nın bölümlerinden sayfa sayfa okumalar yapmayacağız. Bunun yerine, gerekli bütün kaynaklardan faydalanarak, takipçilerinden birinin O'na ilişkin deneyimlediği şeylere benzer bir şekilde bizler de, O'nu daha yakından tanıyacağız. Önce, O'nun sıra dışı işler yapan sıra dışı bir adam olduğunu ve sonrasında da "sıra dışı" kelimesinin bile O'nu tanımlamaya yeterli olamayacağını göreceğiz. Bu adamın iddiası kendisinin bir peygamber, kurtarıcı, kral ve hatta Tanrı olduğuydu. Dinleyicileri, O'na akıl hastası veya şarlatan etiketi yapıştıracak olsa pek de haksız sayılmayacaklardı... Ancak sorun şu ki bu adam, iddialarını destekleyecek şeyler yapmaya devam ediyordu! Öte yandan, İsa'nın insanlara olan yaklaşımı alışılmışın çok ötesindeydi. O, dışlananlara şefkatle, güç sahiplerine gazapla ve sevilmeyenlereyse sevgiyle yaklaştı. Hatta öne sürdüğü tüm iddialara rağmen, insanlara bir Tanrı veya bir Kral gibi davranmadı. O'na bir taç verildiğinde bunu reddetti ve öğrencilerine, kendisinin gerçek kimliğiyle ilgili konuşmamalarını telkin etti. Bunun yerine onlara, yöneticilerin O'nu yakın zamanda nasıl sıradan bir suçlu gibi çarmıha gereceklerini anlattı. Bunları, sanki olan biten her şey bir planın parçasıymış gibi anlatıyordu. Öğrencileri İsa'yı her dinlediklerinde, O'nun sıra dışı bir adamdan çok daha fazlasını anlamaya başladılar. İsa bir öğretmenden, peygamberden, devrimciden, hatta bir kraldan bile çok daha fazlasıydı. Öğrencilerinden bir tanesi bir gece şöyle demişti: "Sen, yaşayan Tanrı'nın Oğlu Mesih'sin."[3]

Hakkında Düşünebileceğiniz En Önemli Soru

Öyleyse İsa kimdi? Asıl soru hep bu olmuştur. Çobanlar, meleklerin kendilerine O'nun doğuşunu bildirdiğini ve bu yüzden doğuma tanıklık etmek için geldiklerini söylediklerinde, İsa fırtınayı dindirip öğrencilerini şaşırttığında, öldüğü gün güneş ışımayı bıraktığında, herkes aynı soruyu soruyordu. "Kimdir bu adam?"

Belki de bu kitabı aldığınızda İsa hakkında çok bir şey bilmiyordunuz. Ya da belki de zaten İsa hakkında çok bilginiz var. Her iki şekilde de, umarım bu kitap aracılığıyla İsa'nın hayatını birlikte keşfedeceğiz. Umuyorum ki, bu kitabı okudukça ve bizler O'nun hayatını hep beraber inceledikçe, İsa'yı daha iyi tanıyacaksınız. O'nu yalnızca akademik bir çalışma konusu veya dini bir figür olarak değil, ancak ilk Hristiyanların kişisel olarak tanıyıp bir arkadaş gibi gördüğü o adam olarak göreceksiniz. Umuyorum ki, onların İsa'da bu kadar harika buldukları şeyin ne olduğunu ve milyonlarca insanın hangi sebeple "Sonsuz kurtuluşum için bu adama güveniyorum" dediğini daha iyi anlayacaksınız.

Tüm bunların ötesinde, umuyorum ki bu kitap, sizi İsa'nın iddialarını daha çok ciddiye alma konusunda teşvik edecektir. Birisi çıkıp Tanrınız olduğunu iddia ettiğinde, elinizde sadece iki seçenek vardır değil mi? Bunu ya kabul edebilirsiniz ya da reddedebilirsiniz. Yapamayacağınız şey ise (en azından

---

3 Matta 16:16

sonsuza dek yapamayacağınız), bu kararı erteleyip en son ne olacağını görmektir. İsa hem kendisi hakkında hem de sizin hakkınızda bazı şaşırtıcı şeyler iddia etmiştir. Hoşunuza gitsin ya da gitmesin, bunun sizin hayatınız için de ciddi sonuçları vardır. Umarım bu kitap sizi bu konuda düşünmeye ve İsa'nın iddialarıyla birlikte bu iddiaların anlamlarını daha açık bir şekilde değerlendirmeye zorlayacak ve aynı zamanda da "İsa kimdir?" sorusuna dair sağlam bir cevaba yönlendirecektir.

Gerçekten, bu, hayatınızda düşünüp cevap arayacağınız en önemli sorudur.

2

Sıra Dışı Bir Adam ve Daha Fazlası

Bir cuma sabahı saat sekize on kala, sıradan görünümlü bir adam, Washington, DC şehrindeki kalabalık bir metro istasyonunda asansöre bindi ve perona çıktı. Sırtını bir duvara dayadı ve elindeki keman kılıfını çıkardı. İçinden çıkardığı kemanın arka tarafı, ahşap rengi görünecek derecede eskimişti ve bunun eski bir keman olduğu belli oluyordu. Gelip geçenler bağış yapsın diye kılıfı ters çevirip yere koydu ve çalmaya başladı.

Adam kırk beş dakika boyunca klasik müzik çalarken, bini aşkın meşgul Washington sakini aceleyle oradan geçip gitti. Müziğin tadını çıkaran birkaç kişi durup kafasını kaldırmıştı ama etrafında hiçbir kalabalık oluşmadı. Geçenlerden biri işe üç dakika erken gittiğini fark etti ve durdu. Bir kolona yaslanıp dinlemeye başladı ve tam üç dakika boyunca dinledi. Ancak çoğu kişi gazete okuyarak, iPodlarında müzik dinleyerek, dijital ekranlarında beliren bir sonraki randevuya koşuşturarak kendi işine bakıyordu.

Ama müzik gerçekten de iyiydi. Hatasız bir şekilde ilerliyordu ve mekânı doldurup insanların kulaklarında akıyordu. Birkaç kişi en azından bir saniyeliğine durup dikkat kesildi ve çalan şeyin kulağa gerçekten de çok farklı geldiğini anlayabildi. Müzisyen pek de önemli birine benzemiyordu. Uzun kollu siyah bir üstü, siyah pantolonu ve bir de Washington Nationals takımına ait bir beysbol şapkası vardı. Yine de durup dinlerseniz, bu adamın birkaç kuruş için öylesine keman çalan bir müzisyen olmadığını fark ederdiniz. Aslında müzisyenlik anlamında, adam inanılmaz derecede iyiydi. Hatta sonradan bir başka adam şu yorumu yaptı: "Birçok insan müzik yapar, ama bazıları müziği *hisseder*. O adam müziği *hissediyordu*. Müziğini biraz dinlerseniz, anında çok iyi olduğunu anlardınız."[4]

Elbette iyi olduğunu anlardınız. Çünkü bu kişi, bir cuma günü öylesine metroda çalan *herhangi bir* müzisyen değildi. Hatta yalnızca sıra dışı bir müzisyen de değildi. O Joshua Bell'di. Dünyaca ünlü, otuz dokuz yaşında birçok çevrede tanınan ve övgüyle anılan, normalde büyük konserleri olan bir müzisyendi. Hatta çaldığı müzik en üst seviye Barok besteleriydi ve üstelik bu müziği, değeri yaklaşık üç buçuk milyon dolar olan bir Stradivarius'la icra ediyordu!

Bahsi geçen bu sahne daha önceden olabilecek en güzel şekilde tasarlanmıştı. Yapılmış en güzel beste, en iyi enstrümanlardan biriyle, çok üst seviye bir müzisyen tarafından çalınıyordu. Tüm bunlara rağmen, bunun ne kadar güzel olduğunu anlamak için, insanların *durup dikkat etmesi* gerekiyordu.

---

4 Gene Weingarten, "Pearls Before Breakfast," *The Washington Post*, Nisan 2007.

Sıra Dışından da Öte

Hayatın çoğu böyle değil midir? İş-güç, meşguliyet, aile, arkadaşlar, faturalar, eğlence gibi birçok şeyin arasında, güzellik ve ihtişam bazen aklımızdan çıkıverir. Bazen bunların değerini anlayıp tadını çıkarmayı beceremeyiz çünkü bunu yapmak için bir adım geri gidip acil ve gerekliymiş gibi görünen şeylerden gözlerimizi çevirmemiz gerekir. Aynı şey, İsa'yla ilgili olarak da doğrudur. O'nu tanıyor olsak bile, çoğumuz O'nu yüzeysel olarak tanımaktayızdır. Belki İsa'yla ilgili bazı ünlü hikâyelerden birkaç tanesini biliyor olabiliriz veya söylediği bazı önemli şeyler ezberimizde olabilir. İsa'ya dair o dönemdeki insanların dikkatini çekecek bir şeyler olduğuna şüphe yoktur. Sıra dışı bir adamdı. Ancak O'nu gerçekten tanımak ve O'nu anlayıp gerçek değerini görmek istiyorsanız, biraz daha dikkatli bakmak zorundasınız. Perdenin arkasını görebilmek için, alışılageldik tartışmaların, kısa sohbetlerin veya kulağa tanıdık gelen hikâyelerin ötesine geçmelisiniz. Tıpkı metrodaki o müzisyen örneğinde olduğu gibi, İsa'yı da sadece sıra dışı bir adam sanıp geçmek büyük bir hata olur.

Öyleyse dürüst olalım. "Dindar" türden bir insan olmasanız da veya İsa'nın Tanrı'nın Oğlu ve dünyanın Kurtarıcısı olduğu fikrini çabucak benimsemeseniz de, O'nun son derece dikkat çekici bir kişilik olduğunu kabul etmelisiniz. Kendi döneminin insanlarını defalarca şaşırtacak şeyler yapmış, söyledikleri aracılığıyla onları kendi bilgeliğine hayran bırakmış ve hatta anlayışlarına meydan okuyacak (onları düşünmek zorunda bırakacak) biçimde fikirlerine karşı çıkıp onlarla yüzleşmişti.

İlk bakışta İsa'yı, birinci yüzyıl Yeruşalim'inde ortaya çıkmış, yükselişe geçmiş, gözden düşmüş ve ortadan kaybolmuş yüzlerce din öğretmeninden biriymiş gibi görme hatasına düşmek kolaydır. O günlerde dini eğitim günümüzdekinden çok farklıydı. Evet, insanlar o zamanlar dinleyerek kutsal metinleri anlamaya ve doğru bir yaşam sürmeye çalışıyorlardı. Ama aynı zamanda ister inanın ister inanmayın, dini öğretileri sadece eğlence olsun diye de dinliyorlardı. Sonuçta filmler, televizyonlar ve akıllı telefonlar ortada yokken, eğlence için ne yapılabilir ki? Anca yanınıza bir piknik sepeti alıp bir vaizi dinlemeye gidersiniz!

Kulağa garip gelse de, bu aynı zamanda İsa'nın vaaz vermekte alışılmadık biçimde *iyi* olduğunu da anlamamıza yardımcı oluyor. Çünkü birinci yüzyıl İsrail halkı o kadar çok vaizi o kadar sıklıkla duydu ki, bugün bizler film yıldızları hakkında nasıl çeşitli fikirlere sahipsek, onların da her bir vaiz hakkında belli fikirleri vardı. Daha nazik bir deyişle, kesinlikle kolay etkilenen insanlar değillerdi. Bu nedenle Kutsal Kitap'ı okurken, İsa'nın öğretişine karşı halk "şaşıp kaldı" ifadesini tekrar ve tekrar gördüğümüzde, o sırada aslında ne olup bittiğini göz önünde bulundurmamız yerinde olacaktır.

Bu "şaşıp kaldı" ifadesi, dört Müjde'nin her birinde en az on defa geçmektedir.[5] Örneğin, İsa'nın dağdaki vaazından sonra Matta tarafından kayda geçirilmiş aktarım şöyledir: "İsa konuşmasını bitirince, halk O'nun öğretişine şaşıp kaldı. Çünkü onlara kendi din bilginleri gibi değil, yetkili biri gibi öğretiyordu."[6]

Buradaki detayı kaçırmayın! Halkın deyişiyle, kendi din bilginleri (görevi yetkiyle öğretmek olanlar) İsa'nın eline su bile dökemiyor ve O'nun öğretişi karşısında çaresiz kalıyorlardı. Üstelik İsa'nın gittiği her yerde durum böyleydi.

---

5 Matta 7:28; 13:54; 19:25; 22:33; Markos 1:22; 6:2; 7:37; 10:26; 11:18; Luka 4:32

6 Matta 7:28–29

Halkta oluşan bu duygu bazen başka şekilde tasvir edili-yordu. İsa kendi memleketinde ilk vaazını verdiğinde oluşan tepkiyi ele alalım: "Herkes İsa'yı övüyor, ağzından çıkan lü-tufkâr sözlere hayran kalıyordu. 'Yusuf'un oğlu değil mi bu?' diyorlardı."[7]

Kefarnahum denen küçük balıkçı köyünde de durum böy-leydi: "Halk O'nun öğretişine şaşıp kaldı. Çünkü onlara din bilginleri gibi değil, yetkili biri gibi öğretiyordu."[8]

İsa'nın memleketinden bir başka örnekse şöyledir: "Şabat Günü olunca İsa havrada öğretmeye başladı. Söylediklerini işiten birçok kişi şaşıp kaldı. 'Bu adam bunları nereden öğ-rendi?' diye soruyorlardı. 'Kendisine verilen bu bilgelik ne-dir? Nasıl böyle mucizeler yapabiliyor?'"[9]

Sonrasında da büyük bir gösteride (Yeruşalim'de tapınak-taki olayda), "Başkâhinler ve din bilginleri bunu duyunca İsa'yı yok etmek için bir yol aramaya başladılar. O'ndan kor-kuyorlardı. Çünkü bütün halk O'nun öğretisine hayrandı."[10]

Sürekli olarak İsa'ya verilen tepki, kuşku ve şaşkınlık-la kafa sallamak olmuştu.[11] Dini öğretişin topluluğun temel eğlence araçlarından biri olarak görüldüğü bir toplumda, İsa'nın aldığı geribildirimler aslında sıra dışıydı!

Neden Bu Kadar Şaşkınlık Verici?

Peki, ama neden? İsa'ya ve öğretişine dair bu kadar sıra dışı ve dikkat çekici olan şey neydi? Kısmen bu, insanlar O'na her meydan okuduğunda, çok usta bir satranç oyuncusu ol-

---

7 Luka 4:22
8 Markos 1:22
9 Markos 6:2
10 Markos 11:18
11 Ayrıca bkz. Matta 13:54; 22:22, 33

duğunu kanıtladığı içindir. O, insanların laflarıyla veya bilgileriyle O'na karşı kurdukları tuzaklara tamamıyla karşı koymuştur. Ayrıca O'na tuzak kurmaya çalışanları ve O'nu zor durumda bırakmaya çalışanları da kendi kazdıkları kuyuya düşürmeyi başarmıştır. Bu durumlarda bile, sadece tartışmayı kazanmakla yetinmemiş, O'nu dinleyen herkese meydan okuyup onlara kendi ruhsal durumlarını sorgulatmıştır. Size bir örnek vereyim.

Matta 22. bölüm, İsa'nın tapınakta öğretmekte olduğu ve bir grup Yahudi önderin O'na meydan okumak üzere O'nun yanına geldiği bir zamandan bahseder. Onların burada İsa'nın yanına gelmesi tamamıyla önceden planladıkları bir durumdur. Hatta Kutsal Kitap'taki bölüm Ferisiler'den de bahsederek şöyle diyor: "İsa'yı, kendi söyleyeceği sözlerle tuzağa düşürmek amacıyla düzen kurdular." Üstelik bunu bir de herkesin önünde yapmak istedikleri için, muhtemelen halkı kenara iterek İsa tapınakta öğrettiği sırada, O'nun sözünü kestiler.

Biraz yağcılıkla söze başladılar. "Öğretmenim" diye seslenip "Senin dürüst biri olduğunu, Tanrı yolunu dürüstçe öğrettiğini, kimseyi kayırmadığını biliyoruz. Çünkü insanlar arasında ayrım yapmazsın" dediler. Burada ne yapmaya çalıştıklarını görebilirsiniz. İsa'yı sorularına cevap vermek zorunda bırakıyorlar ki, olur da cevaplayamazsa, bir şarlatan ve sahtekâr durumuna düşsün.

İşte sahne hazırdır ve sorularını İsa'ya yöneltirler: "Peki, söyle bize, sence Sezar'a vergi vermek Kutsal Yasa'ya uygun mu, değil mi?"[12] Sorunun soruluş şekline ve detayına bakılırsa, bu soruyu üretmek biraz zamana ve çabaya mal olmuş olmalı. Buradaki amaç, İsa'yı zor durumda bırakıp insanlar

---

12 Matta 22:15-17

üzerindeki etkisini sonlandırmak ve hatta belki de tutuklanmasını sağlamaktı. Nasıl mı? Şöyle ki, o dönemde Ferisiler arasında egemen olan düşünceye göre –bu düşünceyi insanlara da öğretmişlerdi– Yahudi olmayan bir yönetimi onurlandırmak ve onlara vergi ödemek *günahtı.* Bunları yapmak, Ferisiler'e göre temel anlamda Tanrı'ya karşı bir saygısızlıktı. Öyleyse bir düşünelim. Ferisiler İsa'nın nasıl cevap vermesini istiyorlardı? İsa vergi vermenin Kutsal Yasa'ya aykırı ve temelde Tanrı'ya saygısızlık olduğu konusunda herkesin önünde Ferisiler'le aynı fikirde olacak mıydı yoksa olmayacak mıydı?

Gerçekte ne cevap vereceği onların çok da umurlarında değildi. İki şekilde de kazanacaklarını düşünüyorlardı. Bir yanda İsa, "Evet vergi vermek yasaya uygundur" dese, halk ona çok öfkelenecek ve İsa'nın etkisi kırılacaktı. Öte yandaysa İsa, "Hayır, vergi vermeyin" dese, bu şekilde de halkı isyana kışkırtmaktan dolayı Romalılar'ın gazabına uğrama riskini almış olacaktı. Bu durumda da tutuklanır ve etkisi sona ererdi. Her iki şekilde de Ferisiler, İsa'nın kültürel bir güç olarak sona ermesini istiyorlardı. Ancak İsa bu tuzağı gördü ve Ferisiler'i şaşkınlık içinde bırakacak bir şey yaptı.

"Vergi öderken kullandığınız parayı gösterin bana!", dedi. O'na bir madeni para verdiler. İsa paraya baktı ve "Bu resim, bu yazı kimin?" diye sordu. Bu kolay bir soruydu. "Sezar'ın" dediler. Bu doğruydu da. İsa'nın elindeki paranın üstünde İmparator Tiberius Sezar'ın adı ve resmi vardı. Ona aitti. Üstünde onun resmi vardı. Para onun darphanesinde dökülmüştü ve Yahudi halkı da bu parayı kendi yararlarına kullanmaktan açıkça memnundu. Tüm bunlar düşünüldüğünde, neden zaten Sezar'a ait olanı ona *geri vermemeliydiler* ki? İsa şöyle dedi:

"Öyleyse Sezar'ın hakkını Sezar'a, Tanrı'nın hakkını Tanrı'ya verin."[13]

Bu aslında çok basit ve açık bir cevap değil mi? *Para Sezar'ın; vergiyi verin.* Ama buna rağmen, Kutsal Kitap'ta insanların çok şaşırdığını görüyoruz. Neden? Çünkü bir yandan İsa burada Yahudiler'in Roma'yla ilgili nasıl bir yaklaşım sahibi olması gerektiğini basit bir şekilde söylerken, bir yandan da Ferisiler'in öğretişine karşı çıkmış oluyordu. Nasıl bakarsanız bakın, Sezar'ın açıkça hakkı olanı ona geri vermek, hiçbir şekilde Tanrı'ya saygısızlık etmek değildi.

Ancak İsa'nın söylediği şeylerde, insanları şaşkına çevirecek bir başka derinlik daha vardı. Sorduğu soruyu tekrar düşünelim. "Bu resim, bu yazı kimin?" demişti. Halk ve Ferisiler buna cevap olarak "Sezar'ın" dediklerinde, İsa, bu noktayı paranın kime ait olduğuyla ilgili bir kanıt olarak kabul etmiştir. Paranın üstünde resmi olan Sezar'dı. Dolayısıyla paranın sahibi kendisiydi ve bu sebeple de Sezar'ın olan, Sezar'a verilmeliydi. Gel gelelim –ki asıl önemli olan yer burası– aynı zamanda Tanrı'nın olanın da Tanrı'ya verilmesi gerekiyordu. Yani üstünde Tanrı'nın sureti olan, O'na geri verilmeliydi. Peki, bu tam olarak ne demek?

Kalabalıktaki herkes, tabii ki de hemen anlamıştı. İsa, Yaratılış 1:26 ayetinden bahsetmekteydi. Bu ayette Tanrı, insanı yaratma planını açıklayarak şöyle diyordu: "Kendi suretimizde, kendimize benzer insan yaratalım... Tanrı insanı kendi suretinde yarattı, onu Tanrı'nın suretinde yarattı." Şimdi daha iyi anlıyor musunuz? İsa kalabalığa siyasi bir felsefeye kıyasla çok daha derin ve önemli olan bir şeyden bahsediyordu. Tıpkı Sezar'ın suretinin paranın üzerine işlenmiş olması gibi, bizi yaratan Tanrı'nın suretinin de bizim en de-

---

13 Matta 22:19-21

rinimize işlenmiş olduğunu ifade ediyordu. İşte bu yüzden de O'na aitsiniz! Elbette Sezar'ın suretini kabullenip ona vergiyle geri ödeme yaptığınızda, Sezar bir anlamda onurlandırılmış oluyor. Ama asıl övgü ve yücelik, O'na ait olduğumuzu fark edip *kendimizi* –yüreğimizi, ruhumuzu, aklımızı ve tüm gücümüzü– geri verdiğimizde, Tanrı'ya verilmiş olmaktadır.

Umarım İsa'nın kalabalığa ne anlattığını anlıyorsunuzdur. Siyasi bir felsefe tartışmasının veya bir ulusun diğer bir ulusla olan ilişkisinin çok daha ötesinde olan asıl mesele, Tanrı'nın her bir insanla olan ilişkisidir. İsa, hepimizin Tanrı tarafından yaratıldığını ve *sizin* de kesinlikle Tanrı tarafından yaratıldığınızı öğretiyor. *Siz* O'nun suretinde ve benzerliğinde yaratıldınız. Dolayısıyla da O'na ait ve O'na karşı sorumlusunuz. Bu nedenledir ki İsa, Tanrı'nın hakkını Tanrı'ya vermemizi söylemiştir ve bunu yaparken kastettiği hak da, bütün varlığımızdır.

Kimse Böyle Şeyler Yapmadı

İnsanların İsa'nın öğretişine şaşıp kalması aslında bir hayli normal. O, insanlarla konuşurken daha kurduğu ilk cümlelerle O'na karşı çıkanları altüst etmiş, zamanının o baskın siyasi teolojisini yeniden tanımlamış ve insan varoluşunun en derinine inmeyi başarmıştır. Bu öğretiş, sadece tarzından dolayı bile etrafında bir kalabalık oluşturmaya yeter!

Öte yandan da yaptığı mucizeler vardı. Yüzlerce insan kendi gözleriyle, İsa'nın başka hiçbir insanın yapamayacağı şeyleri yaptığını gördü. Hasta insanları iyileştirdi, suyu tatlı şaraba çevirdi. Topallara yürümelerini söyledi ve onlar da yürüdü. Çaresi olmayan akıl hastalarına akıllarını geri verdi. Ölen insanları dahi diriltti.

Bütün bunların olması ve bugüne ulaşması, dönem insanlarının ahmak olmasından kaynaklanmıyor. Evet, bu insanlar bizden çok önce yaşadı ama bu, onların saf ya da ilkel oldukları anlamına gelmez. Bu insanlar her gün etrafta dolaşıp mucizeler gördüklerini iddia etmiyorlardı. Tam da bu yüzden Kutsal Kitap'ın bölümlerini okuduğunuzda, kenarda gözleri yuvasından fırlayacakmış gibi açılmış birini görürsünüz. Bu insanlar İsa'nın bu şeyleri yapmasına şaşıyorlardı! Hatta o dönemde o kadar çok kişi dini "Guru" olarak isim yapmaya çalışıyordu ki, birinci yüzyıldaki Yahudiler, şarlatanları ve sahtekârları yakalamakta uzman haline gelmişlerdi. Ardı arkası kesilmeyen sözde sihirbazların numaradan "mucize"-lerini yakalamakta ustaydılar. Ahmak kelimesi, bu halka yakıştıracağınız son şey olurdu.

Ama İsa, hepsinin şaşıp kalmasını sağladı. Diğerlerinin aksine, bu adam gerçekten de sıra dışıydı. Diğerleri şapkalarından tavşan çıkarırken, bu adam kendi gücü tükenip uyuyakalana kadar, yüzlercesine şifa verdi. İki balığı ve beş somun ekmeği eline alıp beş bin kişilik kalabalığı doyurdu ve tabii ki de bu beş bin kişilik görgü tanığı demekti. Yıllardır topal olan, yürüyemeyen bir adamın yanında durdu ve ona "Ayağa kalk ve yürü" dedi. Adam da gerçekten kalkıp yürüdü. Bir teknenin içinde durup güçlü bir fırtınaya durulmasını söyledi ve fırtına durdu. Dört gündür ölü olan bir adamın mezarının önünde durdu ve hayata geri dönmesini söyledi. Adam da O'nu duydu, ayağa kalktı ve mezarından çıktı.[14]

Kimse böyle şeyler yapmadı.

Hem de hiçbir zaman.

İnsanlar da şaşıp kaldılar.

---

14 Matta 8:24-27; 9:6-7; 14:13-21; Yuhanna 11:43.

Hepsinin Bir Amacı Var

Ama dahası vardı. Eğer gerçekten dikkat ettiyseniz, eğer şaşkınlığı bir kenara koyup işin derinine inerek İsa'nın neden tüm bunları yaptığını kendinize sormaya başladıysanız, hepsinin bir amacı olduğunu görebilirsiniz.

Gördüğünüz gibi İsa, yaptığı her mucizeyle ve verdiği her vaazla, kim olduğuna ilişkin daha öncesinde hiç kimsenin bulunmadığı iddialarda bulunuyor ve üstelik iddialarını da *destekliyordu.* Bir örnek olarak Matta 5-7'de geçen ve İsa'nın en ünlü vaazı olan Dağdaki Vaazı alabiliriz. İlk bakışta bayağı, ahlak dersi veren, şöyle yaşamayın böyle yaşayın gibi şeyler söyleyen bir konuşmaymış gibi duruyor. Ant içmeyin, zina işlemeyin, şehvet içinde olmayın, öfkelenmeyin. Ama tekrar bakarsanız, olay aslında size nasıl davranmamız gerektiğini öğretmek değil. Dağdaki Vaazdaki asıl olay, İsa'nın çok büyük bir iddiayla, İsrail'in Eski Antlaşma Yasası'nı *yorumlama* hakkı olduğunu, bu yasada aslında ne söylendiğini ve yasanın neden var olduğunu anlatmasıdır! Tam da bu yüzden, İsa vaaz boyunca "... dendiğini duydunuz. Ama *ben* size şunu diyorum ki..."[15] demektedir. Burada "Ben" kelimesi çok önemlidir. İsa son derece radikal bir iddiayla, kendisinin İsrail ulusunun hak sahibi ve yasa koyucusu olduğunu söylüyor. Dahası, bu iddiayı nerede söylediğine bakın. Bunları özellikle bir dağın tepesinde söylüyor. Her İsrailli, Eski Antlaşma Yasası'nın onlara bir dağda verildiğini ve Tanrı'nın, halkına bir *dağın tepesinden* seslendiğini hatırlar ve bilirdi.[16] Görüyor musunuz? İsa, başkasının cesaret edemeyeceği bir şekilde kendisinin muazzam bir yetkiye sahip olduğunu iddia ediyordu.

---

15 Matta 5:21–44
16 Çıkış 19:16–20

Bir başka yerde Mesih, ölü bir adamın mezarında Marta adındaki kadına çok önemli bir şey söylüyor: "Kardeşin dirilecektir." Marta da O'na, "Son gün, diriliş günü onun dirileceğini biliyorum" diyor. Bir başka deyişle, tabii tabii evet, bu zor zamanda beni teselli etmeye çalıştığın için teşekkürler, diyor. Ama aslında İsa'nın dediğini anlamıyor. Eğer İsa ona, "Hayır, demek istediğim ben kardeşine dirilmesini söylediğimde birkaç dakika içinde dirilecek" deseydi, bu gerçekten hayret verici olurdu. Ama aslında O, bundan çok daha fazlasını söyledi: "Diriliş ve yaşam Ben'im."[17] Burayı hızlıca geçmeyin! İsa sadece "Ben yaşam verebilirim" demedi. "Yaşam *Ben*'im" demişti.

Gerçekten bu adam ne diyordu böyle? Hangi insana arkadaşları hayranlıkla, "Sen Yaşayan Tanrı'nın Oğlu Mesih'sin" der ve o da arkadaşlarına, "Aynen öyle, aslında bunu size bildiren Tanrı'dır" der? Kime ulusunun önderleri, "Söyle bize, Tanrı'nın Oğlu Mesih sen misin?" dediğinde, onlara "Söylediğin gibidir" cevabını verir ve bir de şunu söyler: "Üstelik size şunu söyleyeyim, bundan sonra İnsanoğlu'nun, Kudretli Olan'ın sağında oturduğunu ve göğün bulutları üzerinde geldiğini göreceksiniz."[18]

Kesinlikle sıradan bir adam bunları söylemez. Sadece büyük bir öğretmen olarak anılmak isteyen, iyi bir insan olarak saygı görmek isteyen veya nüfuzlu bir filozof olarak hatırlanmak isteyen bir kişi bunları söylemez. Hayır, kendisiyle ilgili İsa'nın söylediklerini söyleyen bir kişi, bu iddialardan çok daha yüce, çok daha sarsıcı ve derin bir iddiada bulunuyordur. İşte Mesih'in yaptığı da, en azından dikkat edip anlamaya çalışanlar için, tam olarak budur.

O, İsrail'in ve insanlığın Kralı olduğunu iddia ediyordu.

---

17 Bkz. Yuhanna 11:23–25
18 Bkz. Matta. 16:16–17; 26:63–64

3

İsrail'in Kralı,
Krallar Kralı

IV. Henry'nin krallık göreviyle ilgili şikâyetlerini 1597 yılından bugünlere aktaran William Shakespeare'dir. Eserinde kral şöyle der: "Kralı olduğum insanlardan kaç bini şu an uykuda!"[19] Devamındaysa kral, acaba uyku neden barakalarda oturan fakirlerin evinde bulunur da, kralın sarayını seçmez diye düşüncelere dalar. Uyku acaba neden savrulan bir gemide uyuyan üstü başı ıslak bir oğlana dinlenme hediyesini verir de, krala dinlenmeyi çok görür? "Üzerinde taç olan bir baş, kolayca yastığa konmaz!" diye haykırır Kral Henry.[20]

Shakespeare'den okuduğumuz bu bölüm, içinde bolca tezatlık barındırdığından dolayı oldukça çarpıcıdır. Kralların her şeye sahip olması gerekir. Zengin ve güçlüdürler. Onları koruyan orduları vardır. Parmaklarının hareketiyle hizmetçilere istediklerini yaptırırlar. Böyle bir şeyi kim istemez ki? Ama tarihi birazcık olsun biliyorsanız, Henry'nin haklı oldu-

---

19 William Shakespeare, *The History of Henry IV*, Cilt 2, bölüm 3, sahne 1.
20 A.g.e.

ğunu da bilirsiniz. Krallık, sürekli lüks ve rahat bir yaşamdan ziyade, çoğunlukla beraberinde sıkıntı, korku ve hatta paranoya getirir. Taca sahip olduğunuzda, asıl mesele bunu devam ettirebilmektir. Bu da, tarihte birçok kralın öğrenmek zorunda kaldığı gibi, çok zor ve tehlikeli olabilir!

Bunun yanında, bir kraldan bile daha zor uyuyan bir başka adamın olduğunu söyleyebiliriz diye düşünüyorum. Bu da, kral olduğunu *iddia* eden ama kimse tarafından kabul edilmeyen adamdır. Tarih, henüz sahip olmadıkları bir tahtta hak iddia edenlere karşı hiç de nazik olmamıştır. Evet, tahta sahip olma ihtimalleri vardır ama diğer ihtimal de çok acı sonuçlar içerir. Eğer başaramazsanız, "Pardon" deyip hayatınıza kaldığı yerden devam etme şansınız yoktur. Çok daha muhtemel olan şey, üstüne bir taç koymayı planladığınız başınızı kaybetmenizdir.

İsa'nın hayatını bu denli dikkat çekici kılan şeylerden biri de, O'nun dönemin yönetimi ve güçleriyle ciddi şekilde karşı karşıya gelmiş olmasıdır. İsrail'in kuzeyinde, pek bilinmeyen bir kasabada, fakir bir marangoz ailesinde doğmuş olan bu adam, sonunda kendisini hem kendi ulusunun önderlerinin hem de dönemin baskın gücü olan Roma İmparatorluğu'nun bölgesel yetkililerinin karşısında bulmuştur. Sadece bu bile, bizlere sadece bir din öğretmeniyle veya hayat dersleri veren bir adamla karşı karşıya olmadığımızı gösteriyor. Aynı zamanda bir ahlak filozofu veya bir etik ustası da yok karşımızda. Hayır, İsa bir Roma çarmıhında aşağılanıp ölmekteyken, Romalılar'ın O'nun kafasının üstüne çiviledikleri suç yaftasında (hem kendisini hem de mensubu olduğu ulusu aşağılayan ağır bir hakaretle), "BU, YAHUDİLER'İN KRALI İSA'DIR" yazmaktaydı.[21]

---

21 Matta 27:37

İsa'nın hikâyesi iyi bir adamın hikâyesi değildir. O'nun hikâyesi, Yüce Taht'ta hakkı olan birinin hikâyesidir.

İsrail'in Tahtı, Artık Boş Değil

Kutsal Kitap'a göre İsa, hizmetine Şeria Irmağı'nda, Vaftizci Yahya olarak bilinen adam tarafından vaftiz edildiği gün başlamıştır.

Vaftizci Yahya, aylar öncesinden insanlara günahlarından tövbe etmeleri (günahlarından dönmeleri) gerektiğini vaaz ediyordu çünkü O'na göre Tanrı'nın Egemenliği, yani Tanrı'nın yeryüzüne hükmetmesi *yaklaşmıştı*.[22] Başka bir deyişle, Tanrı'nın seçilmiş kralı açığa çıkmak üzereydi ve insanlar bu geliş için can havliyle hazırlanmalıydı. Yahya insanlardan, onların günah ve yanlışlardan temizlenmelerini temsil eder biçimde, nehrin içine batırılmalarını istedi. İsa da şahsen bu şekilde vaftiz edildiğinden, bu noktanın önemi büyüktür ama bu konu hakkında birlikte daha sonra detaylı bir şekilde düşüneceğiz. Şimdilik şunu anlamamız yeterli: Vaftizci Yahya, İsa'yı gördüğü anda aylardır vaaz ettiği kişinin bu kişi olduğunu anladı. "İşte!" dedi, "Kendisi için, 'Benden sonra biri geliyor, O benden üstündür. Çünkü O benden önce vardı' dediğim kişi işte budur."[23]

Buradaki önemli nokta şu ki, Yahya, Tanrı'nın Egemenliği'nin dünya üzerinde kurulmak üzere olduğunu biliyordu. Onun ilettiği bütün mesaj buydu ve şimdi de kendisi, İsa'ya bu yeni krallığın kralı olarak işaret etmekteydi. Daha da önemlisi bu, Yahya'nın kişisel bir inancı olmaktan çok daha öteydi. Bizzat İsa'ya göre Yahya, bütün ulusun gözlerini, gelecek ve onları günahtan kurtaracak olan tek gerçek Kral'a

---

22 Matta 3:2
23 Yuhanna 1:29–30

çevirmekle görevli olan Eski Antlaşma peygamberlerinin sonuncusuydu. Yahya zamanın geldiğini söylüyordu. Kral artık gelmişti.

Belki sonrasını biliyorsunuzdur. Kutsal Kitap, İsa'nın vaftizinin ardından şunu aktarır: "İsa vaftiz olur olmaz sudan çıktı. O anda gökler açıldı ve İsa, Tanrı'nın Ruhu'nun güvercin gibi inip üzerine konduğunu gördü. Göklerden gelen bir ses, 'Sevgili Oğlum budur, O'ndan hoşnudum' dedi.[24] Buranın önemi *sadece* güvercinle alakalı değildir. Ya da Tanrı'dan geldiği anlaşılan sesle de alakalı değildir. Burada son derece önemli olan şey, gelen sesin ne dediğidir. Kutsal Kitap'ta genellikle görüldüğü gibi, hemen her kelime anlamla yüklüdür ve hatta bazen birkaç katman halinde derin anlamlar bulunur. Ancak burada bir detay göze çarpmakta. Tanrı, "Sevgili Oğlum budur" ifadesiyle İsa'ya, İsrail ulusunun kadim tacını takdim etmektedir. İsa artık resmi olarak Yahudilerin kralı olma görevine başlamaktadır.

Bunu nereden biliyoruz? "Tanrı'nın Oğlu" kavramı, İsrail krallarınca Eski Antlaşma zamanından beri kullanıldığı bilinen bir söz öbeğiydi. Bu kavramın kökleri, İsrailoğulları'nın Mısır'dan çıkışına dayanır. Tanrı, İsrail'in kurtuluş dualarını ve yakarışlarını duyduğunda, Mısır firavununa bir tehditle karşı gelmişti ve "İsrail, benim ilk doğan oğlum, O'nu bırak, bana hizmet etsin" demişti.[25] Bu ifade, Tanrı'nın İsrail ulusuna karşı duyduğu güçlü ve farklı bir sevginin ilanıydı. Bu onları dünyadaki diğer uluslardan *farklı* kılan bir şeydi. Tanrı, oğulları olan ve sevdiği İsrail'le savaşmak üzere olan firavunu uyarıyordu.

---

24 Matta 3:16–17
25 Çıkış 4:22–23

Yıllar sonra bu ayırıcı "Tanrı Oğlu" sıfatı, İsrail krallarına verilmiştir. Tanrı, büyük kral Davut ve oğulları için, "Ben ona baba olacağım, o da bana oğul olacak" diyor.[26] Buradaki sembolizm önemli. Tıpkı ulusun tamamına dendiği gibi, İsrail'in kralına da "Tanrı Oğlu" deniyor. Çünkü kral, ulusun tamamını kendi şahsında temsil ediyordu. Tanrı önünde ulusun temsilcisi olup onların yerine geçiyordu. Dolayısıyla, kralın başına gelen şeyin, bir anlamda bütün ulusun başına geldiği söylenebilirdi. Bu sembolik anlam içerisinde Kral, İsrail'di.

Bu gerçeği anladığınız anda, İsa'nın vaftizinde Tanrı'nın söylediği şeyin ne denli önemli olduğunu anlayabilirsiniz. Evet, Tanrı, kendisiyle İsa arasında bulunan Baba-Oğul ilişkisini burada tanımlıyor ve gösteriyor (bu konuya sonra daha detaylı olarak bakacağız). Ancak aynı zamanda Tanrı, İsa'nın Kral olarak İsrail halkını temsil etmeye başlamakta olduğunu da vurguluyordu. Bu noktadan sonra İsa, Tanrı'nın önünde artık halkının Yerine Geçeni, Temsilcisi ve Kahramanıydı.

İsa, krallık görevinin ve hakkının O'na ait olduğunu başından beri biliyordu. Evet, O çoğu kez bu gerçeği sessizce saklı tuttu ve hatta bir keresinde insanların O'na bir kral olarak taç giydirmelerini reddetmişti. Ama bunların sebebi, İsa'nın bu görevi reddetmesi değildi. Bunların nedeni, O'nun insanların beklediğinden veya istediğinden çok farklı bir kral olacak olmasıydı. O, tacı kendi isteği uyarınca ve kendi istediği şekilde alacaktı, devrim bekleyen insanların hatalı beklentilerine göre değil.

Aslında İsa, insanlar *O'nu kral olarak kabul etmenin ne demek olduğunu gerçekten anladıklarında*, bunu kolayca kabul etti. Matta 16. bölümde İsa, Yahudi önderlerle daha yeni başka bir tartışmadan çıkmışken, öğrencilerine, kalabalıkla-

---

26 2. Samuel 7:14

rın kendisinin kimliği hakkında ne düşündüklerini soruyor. İsa'nın sormuş olduğu bu soruya farklı cevaplar geldi. Öğrenciler, halkın ne düşündüğünü "Kimi Vaftizci Yahya, kimi İlyas, kimi de Yeremya ya da peygamberlerden biridir diyor" şeklinde O'na bildirdiler. Görünüşe bakılırsa İsa o kadar etkileyiciydi ki, insanlar O'nun mezardan çıkıp geri gelen biri olması gerektiğini düşünüyorlardı! İnsanlar ne düşünüyorsa düşünsün, İsa asıl olarak kendi öğrencilerinin düşündükleriyle ilgileniyordu. Onlara, "Siz ne dersiniz" dedi, "Sizce ben kimim?" İlk cevap veren Simun Petrus'tu. Petrus, "Sen, yaşayan Tanrı'nın Oğlu Mesih'sin" yanıtını verdi.

Bence Simun Petrus aslında bundan da fazlasını kastetti ama en azından kesin olarak İsa'yı İsrail'in Kralı olarak ilan ediyordu: Sen, yaşayan Tanrı'nın Oğlu Mesih'sin, Kralsın! Peki, İsa buna ne karşılık verdi? İsa bunu kabul etti ve kutladı! Ona "Ne mutlu sana, Yunus oğlu Simun!", dedi. "Bu sırrı sana açan insan değil, göklerdeki Babam'dır." Simun –ki kendisine İsa, hemen Petrus adını vermiştir– İsa'nın kendi hakkında zaten bildi şeyi, bizzat fark etmiş oldu. Karşısındaki İsrail'in gerçek Kralıydı.[27]

Luka 19. bölümde, İsa hakkında başka bir hikâye daha anlatılır. Çarmıha gerilmeden sadece bir hafta önce, herkese açık ve çok çarpıcı bir şekilde İsa, krallık üzerinde hak iddia etmişti. İsa ve öğrencileri, Fısıh Bayramı için Yeruşalim'e gidiyorlardı. Bu bayram, Yahudi takvimindeki en önemli kutlama olduğu için muhtemeldir ki, yüz binlerce kişi o hafta boyunca aynı yolculuğu yapmaktaydı. Şehre yaklaştıkça İsa, bazı öğrencileri Beytfaci denen bir balıkçı köyüne gönderdi ve onlara orada kendileri için beklemekte olan bir eşeği alıp gelmelerini söyler. Kutsal Kitap, bundan sonra İsa'nın eşeğe

---

27 Matta 16:13–20

binip Beytfaci'den Yeruşalim'e olan kısa yolculuğuna, kendisini takip eden büyük bir kalabalık eşliğinde başladığını anlatır. Devamında şöyle olur:

"İsa Zeytin Dağı'ndan aşağı inen yola yaklaştığı sırada, öğrencilerinden oluşan kalabalığın tümü, görmüş oldukları bütün mucizelerden ötürü, sevinç içinde yüksek sesle Tanrı'yı övmeye başladılar. 'Rab'bin adıyla gelen Kral'a övgüler olsun! Gökte esenlik, en yücelerde yücelik olsun!' diyorlardı."[28]

Kalabalıktakilerin çoğu çullarını ve ağaç dal ve yapraklarını yollara sermişti. Önünden ve arkasından giden halk, "Davut Oğlu'na hozana! Rab'bin adıyla gelene övgüler olsun, En yücelerde hozana!" diyordu.[29]

Bu olanlar çok önemliydi. Burada insanlar sadece kralı kabul etmek anlamına gelen, yollarını düzlemek ve dallar sermek eyleminin yanında, İsa'ya kral ve Davut'un varisi diyordu! Dahası, kurban sunmak için tapınağa giden kralları karşılamakta söylenen eski bir şarkıyı söylüyorlardı.[30]

Bu sahne gerçekten çok göz alıcıydı ve İsa bunun özellikle dikkat çekmesini istemişti. Kalabalığın haykırışlarını ve söylediklerini duyan Ferisiler, İsa'ya "Öğretmen, öğrencilerini sustur!" dediler. Tapınağın yetkililerinin ne yaptığını görüyor musunuz? Onlar, insanlardan gelen bu seslerin uygun olmadığını İsa'nın da söylemesini istiyorlardı. İsa'nın, kendi krallığını reddetmesini istiyorlardı. Ama İsa bunu yapmadı. O, "Size şunu söyleyeyim, bunlar susacak olsa, taşlar bağıracaktır!" diye karşılık verdi.[31]

---

28 Luka 19:37-38
29 Matta 21:8-9
30 Mezmur 118:26
31 Luka 19:39-40

Daha fazla gecikme olmayacaktı. Zaman gelmişti. Kral, başkentine geliyordu.

Altı yüz yıldır boş olan İsrail tahtı, artık boş kalmayacaktı.

Gerçek Bir Taht Üstünde, Gerçek Bir Geçmişi Olan, Gerçek Bir Kral

İsa'nın Yeruşalim'e girişinin önemini anlamak bugün bizler için kolay değil. Bence çoğumuz, insanların burada dini anlamda bir duygu yoğunluğu içerisinde olduğunu ve eve döndükleri anda da muhtemelen her şeyin unutulmuş olacağını varsayıyoruz. Ama oradaki insanlar, dini bir krallıktan veya sadece sözde bir krallıktan bahsetmiyorlardı. Bu kral, *gerçek* bir tahta oturacak olan, *gerçek* bir tarihi olan, *gerçek* bir kraldı.

İsrail ulusu, tarihi boyunca bir krala sahip değildi. Tarihin başlangıcında, henüz bu ulus büyük bir aileden çok farklı değilken, önce bir dizi aile reisi, sonralarıysa uzun bir peygamberler nesli ve hâkimler tarafından idare edilmişti. Bu kişilere idare görevi, ulusu korumaları için Tanrı tarafından verilmişti. Ama sonunda İsrailliler, bir peygamber olan Samuel'den kendileri için bir kral meshetmesini istediler. Samuel buna karşı çıktı ve bunun getirebileceği kötülüklerle ilgili onları uyardı. Ancak insanlar ısrarla bunu istedi ve bir kral atandı. İsrail Krallığı en üst noktasına Davut zamanında ulaştı. Davut, şaşırtıcı olsa da Tanrı tarafından ulusu yönetmek için seçilmiş, Beytlehem denen bir yerden çıkan bir çobandı. Bizzat Tanrı tarafından yönlendirilen ve bereketlenen Davut, sonunda İsrail'de İ.Ö. 1000 yıllarında tahta çıkana kadar, çok hızlı bir şekilde yükselmişti. O, on iki oymağı tek bir krallık altında birleştirdi, ulusun düşmanlarına karşı mücadele verdi, Yeruşalim'i fethetti ve onu ulusun başkenti yaptı.

Hepsinden de önemlisi, Tanrı ona, soyu aracılığıyla sonsuza kadar sürecek bir hanedan sözü verdi.

Davut, İsrail krallarının en büyüğü olarak hatırlanır. O kadar büyüktü ki, bu krallığa "Davut'un krallığı" bu tahta da "Davut'un tahtı" denmiştir. Davut başarılı bir savaşçı, yetenekli bir müzisyen, bir bilge ve hatta bir şairdi. Mezmurlar kitabındaki ilahilerin yarısından çoğunu o yazmıştır ve kendisi hala iman ve doğruluk adına örnek bir kişi olarak hatırlanır. Bunların hiçbiri Davut mükemmel bir adam olduğu için olmamıştır. Hiç mi hiç mükemmel değildi! Ama yine de O, Tanrı'ya karşı derin bir sevgiye sahipti. Kendi günahının, zayıflığının farkındaydı. Tanrı'nın kendisine merhamet edip günahlarını affedeceğine çok güçlü bir şekilde iman ediyordu. Hatta Kutsal Kitap, O'nun hakkında şunu diyor: "RAB kendi gönlüne uygun birini arayıp onu kendi halkına önder olarak atamaya kararlı."[32]

İ.Ö. 970 yıllarında Davut öldüğünde, yerine oğlu Süleyman geçmiştir. Süleyman'ın yönetimi, en azından ilk başlarda, babasınınkinden bile daha görkemli bir zamandı. İsrail zenginleşti ve etkili bir ulus olarak bir altın çağ yaşadı. Ancak Süleyman kırk yıl hüküm sürdükten sonra öldü ve onun ardından İsrail Krallığı bir karışıklık dönemine girdi. Bir iç savaş çıktı ve ulusu iki ayrı krallığa böldü. Kuzeyde İsrail, güneydeyse Yahuda Krallığı kurulmuştu. Bundan sonraki birkaç asır boyunca, iki krallık da günah ve putperestliğe gömülmüştür. Kuzey krallarından biri olan Ahaz'ın, pagan tanrılarından birine kendi oğlunu, yakarak kurban ettiğini biliyoruz.

Tüm bunlar olurken Tanrı, peygamberler göndererek hem İsrail'i hem de Yahuda'yı günahtan kendisine dönmeleri için uyardı. Eğer O'na dönerlerse, İsrail'i yeniden ayağa kaldırıp

---

32 1. Samuel 13:14

günahlarını affedeceğini onlara bildirdi. Eğer bunu yapmaz-
larsa, yargı ve ölüm gelecekti. İki halk da tövbe etmedi. İ.Ö.
700 yıllarında kuzeydeki İsrail krallığı, güçlü bir krallık olan
Asurlular tarafından işgal edildi ve halk sürgüne gönderildi.
Güneydeyse Yahuda Krallığı, bundan birkaç asır daha ayakta
kaldıysa da, İ.Ö. 586'da Babil Kralı Nebukadnessar tarafın-
dan işgal edildi. Yeruşalim ve tapınak yakılıp yıkıldı ve halkı
Babil'e gönderildi. Davut'un tahtında oturan kral, yakalanıp
Babilliler tarafından kör edildi. Kralın burnuna bir çengel
geçirip onu da sürgüne götürdüler. Hayatının geri kalanında
her gün, Kral Nebukadnessar'ın masasında yemek yiyecekti.
Ama bu bir onurdan ziyade, bir aşağılamaydı. Kral, Babil İm-
paratoru'na muhtaç, kör bir adam olmuştu.

Yıllar sonra, hatta Persler Babillileri, Grekler Persleri yen-
dikten ve Grekler de Roma tarafından yok edildikten sonra
bile İsrail, hala kendini ayağa kaldırabilmiş, bağımsız bir
krallık kurabilmiş değildi. Baskı altında, başkalarının bo-
yunduruğunda yaşamaya devam ettiler. Altı yüz yıl boyunca
Davut'un tahtı boş, yani kralsız kaldı.

Ama bunlara rağmen onlar umutsuz kalmadılar. Çünkü
İsrail'in bölünmesi, gerilemesi ve çöküşü boyunca, peygam-
berler Davut hanedanının nasıl yeniden kurulacağını halka
bildirdiler. Aslında onlar, İsrailliler'e Tanrı'nın bir gün bir
kral göndereceğini ve O'nun Davut'un tahtında adalet ve
doğrulukla hükmedeceğini söylemişlerdi. O, Tanrı'nın Ru-
hu'yla meshedilmiş olan kral, ulusun yüreklerini sadece ve
sadece Tanrı'ya döndürecek ve sonsuza kadar bilgelik, mer-
hamet ve sevgiyle hüküm sürecekti. Hatta Tanrı, Davut'un
tahtının sadece ulusal değil, *evrensel* bir taht olacağını vaat
etmişti. Tüm uluslar bir nehir olup Yeruşalim'e gelecek ve İs-
rail Kralı'na, krallar Kralı'na hürmet edeceklerdi.[33]

---

33 Örn. bkz. Yeşaya 9; 11; Mika 5

Bütün bu vaatler aslında İsrailliler'e çok saçma görünmüş olmalıydı çünkü kendi krallarının bir bir günaha düşerek Tanrı tarafından yargılandıklarını görmüşlerdi. Özellikle de son olarak Davut'un tahtında oturan kralın Babilliler tarafından gözleri oyulmadan önceki yalvarışını görmek, onlar için acımasız bir sahne olmalıydı. Ama aslında insanlar peygamberlerin söylediklerini dikkatli dinleseydiler, vaat edilen Kral'ın, diğer insanlar gibi belli bir süre tahtta oturup ölmeyeceğini anlarlardı. Bu Kral'a dair çok daha fazlası vardı. Gerçekten dinleseydiler, sadece İsrail'e bir kral *göndermekten* bahsedilmediğini, Kral'ın *kendiliğinden geleceğini* ve Kralları *olacağını* anlarlardı. Bu büyük Kral'ın doğuşuyla ilgili Peygamber Yeşaya'nın ne dediğine bakalım:

> Çünkü bize bir çocuk doğacak,
> Bize bir oğul verilecek.
> Yönetim onun omuzlarında olacak.

Sanki buraya kadar pek de dikkat çekici bir şey yok gibi değil mi? Kulağa herhangi bir kral gibi geliyor. Ama okumaya devam edin:

> Onun adı Harika Öğütçü, Güçlü Tanrı,
> Ebedi Baba, Esenlik Önderi olacak.
> Davut'un tahtı ve ülkesi üzerinde egemenlik sürecek.
> Egemenliğinin ve esenliğinin büyümesi son bulmayacak.
> Egemenliğini adaletle, doğrulukla kuracak
> Ve sonsuza dek sürdürecek.[34]

---

34 Yeşaya 9:6-7

İşte. Şimdi görüyoruz ki, bu Kral sıradan bir kral değil. Hiçbir kral *sonsuza dek* egemenlik sürmez. *Büyümesi son bulmayacak bir yönetim sıradan değildir.* Sıradan bir kral, en azından muziplik peşinde değilsek, Ebedi Baba, Esenlik Önderi, Barış Prensi gibi sözlerle adlandırılmaz. Hepsinden de öte, kral olsun veya olmasın, Tanrı'nın kendisinden başka hiç kimse kendisine *Güçlü Tanrı* diyemez.

Hayranlıkla Dolu Gözler ve Dehşete Kapılan Zihin

Her zaman Simun Petrus'un, "Sen, yaşayan Tanrı'nın Oğlu Mesih'sin" derken, gözlerinin hayranlıkla dolduğunu, zihninin dehşete kapıldığını ve bunu bir fısıltıyla söylediğini düşünmüşümdür. Evet, eski zamanlardaki krallara "Tanrı Oğlu" deniyordu ama şimdi anlaşılmıştı ki, bu sadece bir unvandan ibaret değildi. Bu, Tanrı'nın *bizzat* Davut'un tahtına oturacağı o gelecek güne işaret etme biçimiydi. Peygamberlerin de dediği gibi, büyük Kral, Tanrı'nın Oğlu olacaktı. Ancak sadece simgesel anlamda değil, bir unvan olarak da değil, *gerçekten* böyle olacaktı. Tanrı'nın kendisi Kral olacaktı.

Petrus'un fark etmekte olduğu şey, işte tam da buydu. Karşısında duran bu adam Kral, Mesih, İsrail'in Meshedilmiş Olan'ı ve Tanrı'nın Oğlu'ydu. Sadece İsrail'in Kralı değil, kralların Kralı'ydı.

Petrus fark etti ki, bu adam Tanrı'ydı.

4

Yüce "BEN"...

İsa'nın Tanrı olduğu fikri, Petrus'a bir anda gelen bir fikir değildi. Hatırlayın, Petrus aylardır İsa'nın yanındaydı. O'nun mucizeler yapmasını, şifa bulmaz denen insanları iyileştirmesini, ölüleri diriltmesini izlemişti. Bu olayları kim görse, durup bir düşünürdü.

Ama aynı zamanda, doğanın kendisinin bile İsa'ya boyun eğmesi gibi, insanı düşünmeye sevk edecek başka şeyler de olmuştu.

Buna benzer bir olay, İsa'nın hizmetinin hemen başlarında meydana geliyor. Bir adamın insanları iyileştirdiği ve cinleri kovduğu haberi etrafa yayılmıştı. Bundan dolayı büyük kalabalıklar gelip O'ndan medet umdular. İsa onlarla sabırlı ve nazik bir biçimde ilgilendi. Saatler boyu cinleri kovdu ve insanlara şifa verdi. Ama bir gün, İsa yorulmuştu. Celile Gölü kıyısında uzun saatler boyunca hizmet edip şifa dağıtmıştı. Bir başka büyük kalabalığın kendilerine doğru geldiğini gören İsa ve öğrencileri, bir kayığa binip gölün diğer kıyısına doğru gittiler.

Celile Gölü, İsa ve öğrencilerinin iyi bildiği bir yerdi. İsa'nın öğretiş ve şifa hizmetinin çoğunluğu bu gölü çevreleyen balıkçı kasabalarında gerçekleşmişti. Öğrencilerden bazıları, Petrus dahil, bizzat buralardan çıkan ve O'nu takip etmeden önce balıkçılıkla geçinen kimselerdi. Aslında Celile çok büyük bir alan değildir. Bazı kaynaklarda deniz olarak da geçen bu yer, aslında bir tatlı su gölüdür. Etrafı elli üç kilometre civarındadır. Ama en önemli özelliği, gölün deniz seviyesinden yüzlerce metre aşağıda olması ve etrafında bulunan derin vadi ve yarıklardan buraya esen rüzgârın çok hızlı olmasıdır. Yani burada çok balık bulunduğunun bilinmesinin yanı sıra, Celile Gölü aynı zamanda aniden çıkan amansız fırtınalarıyla da ünlüdür.

O gün de tam bu şekilde olmuş ve İsa'yla öğrencileri yola çıktıklarından hemen birkaç saat sonra bir fırtına çıkmıştı. Gölün ortalarına geldiklerinde, o ünlü rüzgârlardan biri çıkmıştı ve geri dönmek için çok geçti. Şimdi biliyoruz ki, bu sıradan bir rüzgâr veya fırtına değildi. Matta, orada bulunan öğrencilerden biri olarak bu fırtınaları daha önce çokça görmüştü. Ama o, bu fırtına için, *"büyük* bir fırtına" diyor. Yani durumun şiddeti alışılmışın dışındaydı ve o, bunu tanımlamak için *seismos* kelimesini kullanmıştır.[35] Matta bilmemizi istiyor ki, bu sadece bir fırtına değildi. Bu su üzerinde oluşan bir depremdi! Vadilerden gelen rüzgâr göle gelmiş ve öğrenciler kendilerini küçük tekne üzerinde oradan oraya savrulurken, vahşi dalgalar içinde, gölün ortasında ıslanırken bulmuşlardı.

Tabii ki çok korkmuş ve kendilerinden geçmişlerdi. Bu çok doğaldı. Küçük tekne kolayca alabora olabilirdi ve kimse de kurtulamazdı. Korkmuşlardı. Ancak İsa korkmamıştı. Tek-

---

35 Matta 8:24

nenin arkasında uyumaktaydı. Şaşırtıcı olmayan bir şekilde, öğrenciler gidip O'nu uyandırarak, "Ya Rab, kurtar bizi, yoksa öleceğiz!" dediler. Ayrıca Luka'da şöyle diyor: "Efendimiz, Efendimiz, öleceğiz!"[36] İşin aslı, muhtemelen o anda birçok şey söylenmişti ama bir şey apaçık ortadadır. Öğrenciler başlarının belada olduğunu çok iyi anlamışlardı ve İsa'nın bu konuda bir şey yapmasını istiyorlardı.

Şimdi, bir anlığında hikâyeyi durduralım. Bu problemin çözümü için İsa'ya gitmiş olmaları ilginç değil mi? Yani, İsa'nın ne yapmasını bekliyorlardı ki? Şahsen ben bu durumdan kurtulmak için çok da bir planları olduğundan şüpheliyim. Öğrenciler, İsa'dan yeterince etkilenmiş olmalılar ki, O'nun kendilerini bu durumdan kurtarabileceğini düşünüyorlardı. Ama öte yandan, kimse de çıkıp, "Biliyor musunuz, bence sakin olmalıyız çünkü Tanrı, teknenin arkasında uyuyor" demiyor. Dolayısıyla belki de onlar, İsa'nın bir şekilde onları korumasını veya tekneyi hızlandırıp oradan çıkarmasını veya bir şekilde diğer kıyıya taşımasını bekliyorlardı. Kim bilir? Ama şüphesiz, O'nun bir şeyler yapmasını beklerken, aslında yapacağı şeyi hiç mi hiç beklemiyorlardı.

Hikâyeye dönecek olursak, öğrenciler panik içinde teknenin arkasına gider ve İsa'yı uyandırırlar. O ise çok şaşıracakları bir şey yapar. İsa uykudan kalkıp oturur, muhtemelen önce gözlerini ovalar *ve onlarla konuşur.* "Neden korkuyorsunuz, ey kıt imanlılar?" der.[37]

Bence öğrencilerden en az bir veya ikisi, özellikle de Petrus, "Neden mi korkuyoruz? Şaka mı yapıyorsun!?" diye düşünmüş olmalı. Ama o saniyede hiç kimse tek bir kelime bile etmedi ve Kutsal Kitap'ın bize aktardığı haliyle İsa, inanıl-

---

36 Matta 8:25; Markos 4:38; Luka 8:24
37 Matta 8:26

maz bir sakinlikle ayakta durdu ve "Sus, sakin ol!" diyerek, rüzgârı "azarladı."[38]

Ne kadar harika bir söz! İsa, tıpkı çocuğunu yola getiren bir baba gibi rüzgârı "azarladı." Siz daha önce bir fırtınayı dindirmeye veya azarlamaya çalıştınız mı? İsterseniz bir deniz kıyısına gidip bütün gücünüzle bir fırtınayı durdurmayı deneyebilirsiniz ama Kutsal Kitap, İsa bunu yaptığında işe yaradığını söylüyor. Markos, "Rüzgâr dindi, ortalık sütliman oldu" diye yazıyor. Bütün öğrenciler daha önce fırtınaların ortaya çıkışını ve dinişini görmüşlerdi. Ama burada olan, daha önce hiç görmedikleri türden bir şeydi. Rüzgâr dursa bile, fırtınadan dolayı deniz hareketli olmaya biraz daha devam ederdi. Ama bu sefer hem rüzgâr hem de dalgalar ani bir şekilde durdu ve oraya doğaüstü bir sakinlik hâkim oldu. Öğrenciler hayran bir şekilde birbirlerine ve İsa'ya bakıyorlardı. Kutsal Kitap, soruyu kimin sorduğunu söylemiyor ama öğrenciler, "Bu adam kim ki, rüzgâr da göl de O'nun sözünü dinliyor?" dediler. Eminim oradaki diğer öğrenciler de aynı fikirde olduklarını belirtmek için kafalarını sallayıp sessizce bu hayranlığı paylaşmışlardır.[39]

Bir Kraldan Çok Daha Öte

Merak ediyorum, acaba Petrus, İsa'nın sorusunu yanıtlayıp, "Sen, yaşayan Tanrı'nın Oğlu Mesih'sin"[40] derken, o günü düşünüyor muydu? Bazıları Petrus'un o anda İsa'yı sadece İsrail'in Kralı olarak kabul ettiğini ifade etmeye çalıştığını söyler. Bu sadece siyasi bir cümleydi ve bundan daha fazlası değildi diyenler vardır. Bence, bu doğru olamaz. Çünkü bun-

---

38 Markos 4:39
39 Markos 4:41
40 Matta 16:16

dan önce öğrenciler İsa'ya Tanrı'nın Oğlu dediklerinde, bunu, kendisini krallığın çok ötesine taşıyan bir şey yaptığı için demişlerdi. Bu özellikle Petrus'un unutabileceği bir şey değildi. Aslında o anki durum, İsa'nın fırtınayı azarladığı zamana son derece benziyordu. Öğrenciler yine gölün karşı kıyısına geçiyorlardı. Yine aynı şekilde fırtına ve dalgalar çıkmıştı ve tekne sallanıyordu. Tek fark vardı. O zaman İsa yanlarında, teknede değildi.

O gün İsa, beş bin kişiyi iki balık ve beş ekmekle daha yeni doyurmuştu ve öğrencilerini önden Celile Gölü'nün karşı kıyısına göndermişti. Belki de İsa'nın daha sonra bir tekne tutup geleceğini düşündüler ama her ne sebeple olursa olsun, kalabalığa hizmet ettikten sonra, yakındaki bir dağın tepesinde dua etmeye giden İsa'yı orada bırakıp karşı kıyıya doğru yelken açmışlardı.

Bu sırada teknedeki öğrenciler çok zor bir gece geçiriyorlardı. Dalgaların ve rüzgârın pençelerinde olan tekne zor bir durumdaydı ve öğrenciler de korku içindeydiler. Kutsal Kitap bize bunların gecenin dördüncü nöbetinde olduğunu söylüyor (saat sabaha karşı 3-6 arası). Öğrenciler ufka baktıklarında, kendilerine doğru, *suyun üzerinde yürüyerek gelen birini gördüler!* Doğal olarak korku, paniğe dönüştü ve haykırarak, "Bu bir hayalet!" dediler.

Bundan sonra olan şeyse, İsa'nın hayatındaki en meşhur olaylardan ve belki de en önemlilerinden biri. Öğrencilerin yakarışlarını duyan İsa, "Cesur olun, benim, korkmayın!" diye seslendi. Şimdi durup bu cümleyi bir düşünelim. Çünkü görünen o ki, bu kısa cümlenin içinde Petrus, İsa'ya güvenmesini sağlayacak bir şey duymuştu. İleri doğru hareket etti ve "Ya Rab" dedi, "Eğer sen isen, buyruk ver suyun üstünden yürüyerek sana geleyim." Ne kadar hayranlık uyandırıcı bir söz! Eminim o sırada diğer öğrenciler Petrus'un aklından şüphe ettiler! Ama o delirmemişti. İsa'nın sözlerinde, Petrus'un olup biteni kavramasını sağlayan bir şeyler vardı ve şimdi Petrus, bunu test etmek istiyordu. Belli ki, İsa da bunu biliyordu ve O'na şu şekilde seslenerek Petrus'u davet etti: "Gel." Ardından Petrus yavaşça tekneden indi, suya bastı ve bir adım attı. Kutsal Kitap bize ne kadar ilerleyebildiğini söylemiyor ama daha İsa'ya ulaşamadan, Petrus rüzgârın sert bir şekilde esmekte olduğunu ve suyun bacaklarına geldiğini fark etti. Gözlerini İsa'dan başka yöne çevirdi ve korktu. Batmaya başladı. İsa'dan yardım istedi. İsa, Kutsal Kitap'ın vurguladığı şekilde "*hemen*" elini uzattı ve onu yakaladı. Onu tekneye geri çekti. İsa ve Petrus tekneye çıktıktan sonra, İsa'nın sesli bir şekilde buyruk vermesine gerek kalmadan, fırtına dindi.

Matta, tam bu anı bize şöyle aktarıyor: "Teknedekiler, 'Sen gerçekten Tanrı'nın Oğlu'sun' diyerek O'na tapındılar."[41]

Peki O'na "Tanrı'nın Oğlu" demekle gerçekte ne kastediyorlardı? İsrail tahtında hak sahibi olduğunu mu? İsa'dan önce onlarca kralın sahip olduğu siyasi bir unvanı O'na vermek miydi amaçları? Kesinlikle hayır! Öğrenciler, bu adamın suyun üzerinde yürüdüğünü gördüler. Aralarından birini suda yürüttüğünü ve fırtınaları azarladığını gördüler. Düşünelim, Petrus'un tekneden dışarı adım atmasına sebep olan neydi? İsa'nın sözlerinden ne anlamıştı? İsa, Petrus'a, "Cesur ol!" dediğinde, Petrus sadece, "Oh, artık sakin olabiliriz. İsa geldi." demiyor. Aynı zamanda suya doğru bir adım atıyor. Neden, aniden, İsa'nın olayın *tamamına* hâkim olduğuna karar veriyor?

Cevap şu cümlede gizli: "Ben'im". Buradaki gramer her ne kadar doğru olsa da, İngilizce (ve Türkçe) dil yapısı, İsa'nın

---

41 Matta 14:26-33

sözlerini tam anlamıyla aktarmakta yetersiz kalıyor. Söylediği cümle tam olarak şuydu: "Cesur olun, *Ben'im*, korkmayın!" Petrus'un, İsa'ya bu kadar derin ve güçlü bir şekilde güvenmesini sağlayan sözler bunlardı. Petrus, Rab'bin sadece, "Hey! Ben İsa'yım!" dediğini değil, bundan öte, O'nun İsrail'in Güçlü Tanrısı'nın o eski ve meşhur ismini üstüne aldığını duymuş ve anlamıştı.

Bunların hepsi yine, İsrail'in Mısır'dan çıkışına dayanıyor. Mısır'dan Çıkış hikâyesinde en eğlenceli yerlerden biri, Musa'nın Tanrı'yla konuşurken, Tanrı'nın kendisine verdiği göreve nasıl da hiç uygun olmadığını anlatmasıdır. Defalarca, ben yeterince önemli bir adam değilim, bana inanmazlar, iyi bir konuşmacı değilim gibi farklı bahaneler üretmiştir. Her seferinde Tanrı, Musa'ya cevap vermiş ve bu bahaneleri ortadan kaldırmıştır. Musa'nın sorduğu sorulardan biri de, "İnsanlar bana Tanrı'nın ismi nedir diye sorduğunda ne diyeceğim?" olmuştur. Tanrı, O'na, "Ben, Ben'im." diye cevap verir ve ekler, "İsrailliler'e de ki, 'Beni size Ben Ben'im diyen gönderdi.'"[42] Yani Tanrı, kendisini evrenin yüce ve sınırsız Tanrısı, her şeyin Kaynağı, varoluşun Yazarı, her şeyin Yaratıcısı ve Hükümdarı, öncesinden şimdiye ve sonsuza dek olacak olan yüce "Ben" olarak bizlere açıklıyor.

Petrus'un işittiği ve onun güvenmesini sağlayan şey buydu. İsa, Tanrı'nın ismini kendisi için kullanıyordu ve bunu *suyun üstünde yürürken* yapıyordu. Deniz, yaratılmış olanlar içinde en güçlü ve korkutucu olandı. Kaosun ve kötülüğün sembolü, tanrıların mistik eviydi. Ama İsa burada onu azarlıyor, fethediyor, ona hükmediyor ve gerçek anlamıyla ayağının altına alıyordu.

---

42 Çıkış 3:14

Eski bir ilahide denildiği gibi; "Yücelerdeki RAB, engin suların gürleyişinden, denizlerin azgın dalgalarından daha güçlüdür."[43]

Anlıyor musunuz? Öğrenciler İsa'ya "Tanrı Oğlu" dediğinde, bir kraldan çok daha fazlasını kastediyorlardı. O'nun Tanrı, Yaratıcı ve yüce "BEN" olduğunu söylüyorlardı.

Bu Adam, Tanrı Olduğunu İddia Ediyordu

Bazen insanlar, İsa'nın Tanrı olduğu fikrinin, öğrencilerinin hayal gücünün bir ürünü olduğunu ve İsa'nın hiçbir zaman böyle bir iddiasının olmadığını ve ölümünden sonra da bu hikayenin takipçileri tarafından uydurulduğunu ya da yanlış hatırlanıp yanlış aktarıldığını söylerler. Ancak Kutsal Kitap'ı pür dikkat okumasanız bile, birçok yerde defalarca O'nun Tanrı olduğunu iddia ettiğini görürsünüz ve bazı zamanlarda bu çok açıktır.

Bir örnekte İsa, "Ben ve Baba biriz." diyor. Filipus, İsa'ya, "Ya Rab, bize Baba'yı göster" dediğinde, İsa'nın verdiği cevap önemlidir. Bunu Kutsal Kitap'ta şu şekilde görüyoruz, "İsa, 'Filipus' dedi, 'Bunca zamandır sizinle birlikteyim. Beni daha tanımadın mı? Beni görmüş olan, Baba'yı görmüştür. Sen nasıl, 'Bize Baba'yı göster' diyorsun?'" Bir başka örnek, yargılanmasının sonunda Yahudi önderlere verdiği cevaptır, "Üstelik size şunu söyleyeyim, bundan sonra İnsanoğlu'nun, Kudretli Olan'ın sağında oturduğunu ve göğün bulutları üzerinde geldiğini göreceksiniz." Başkâhin hemen O'nun ne iddia ettiğini anladı. Bu yüzden giysilerini yırtarak, İsa'yı, Tanrı'ya küfretmekle suçladı. Bu adam, Tanrı olduğunu iddia ediyordu.[44]

---

43 Mezmur 93:4
44 Yuhanna 10:30; 14:8-9; Matta 26:64.

Bir başka yerde İsa o kadar büyük bir iddiada bulunuyor ki, Yahudi önderler ellerine taş alıp O'nu öldürmek istiyorlar. Kutsal Kitap'a göre durum o kadar tehlikeliydi ki, İsa oradan çıkabilmek için saklanmak zorunda kalmıştı. Bütün olay, Ferisiler'in gelip İsa'ya kötü sözler söylemesiyle başlıyor. Ferisiler O'na, "'Sen, cin çarpmış bir Samiriyeli'sin' demekte haklı değil miyiz?" dediler. Bu aşağılayıcı bir sözdü. "Sende hem cin var hem de Washington'lusun" demek gibi bir şeydi. (Şaka şaka!) Konumuza dönersek, İsa onlara cevap olarak, "Beni cin çarpmadı" dedi. "Ben Babam'ı onurlandırıyorum, ama siz beni aşağılıyorsunuz." ... "Size doğrusunu söyleyeyim, bir kimse sözüme uyarsa, ölümü asla görmeyecektir." Bunları duyan Yahudiler iyice sinirlendi ve İsa'yı kibirli olmakla suçladılar: "İbrahim öldü, peygamberler de öldü. Oysa sen, 'Bir kimse sözüme uyarsa, ölümü asla tatmayacaktır' diyorsun. Yoksa sen babamız İbrahim'den üstün müsün? O öldü, peygamberler de öldü. Sen kendini kim sanıyorsun?" dediler.[45]

İsa buna da cevap verdi, "Babanız İbrahim günümü göreceği için sevinçle coşmuştu. Gördü ve sevindi." Bir başka deyişle, İbrahim, Tanrı'nın bir kurtarıcı vaat ettiğini biliyordu ve bunu sevinçle beklemekteydi. Bu cümleden sonra Yahudiler'in kafası iyice karışmıştı. İsa, İbrahim'in kendisini önceden bildiğini iddia ediyordu. Dahası İsa'nın, İbrahim'in nasıl hissettiğini bildiğini iddia etmesi Yahudiler'e çok fazla gelmişti ve şöyle dediler, "Sen daha elli yaşında bile değilsin. İbrahim'i de mi gördün?"

Mesih'in verdiği cevap onları sarsacaktı, "Size doğrusunu söyleyeyim, İbrahim doğmadan önce *ben varım*".[46]

---

45 Yuhanna 8:48-53
46 Yuhanna 8:56-58

Yine aynı isim karşımızda (Ben'im). İsa bunu bilerek ve insanların bununla yüzleşmesi için kullanıyor. Bunu nereden biliyoruz? Çünkü böyle değilse, bunun anlamı İsa'nın sadece kötü bir dil bilgisine sahip olduğu veya dili doğru kullanamadığıdır. İbrahim'den önce var olduğunu söylemek isteseydi bile, "İbrahim'den önce *ben vardım*" demeliydi. Ama şimdiki zaman dilini kullanıyor ve "ben varım" diyor. İsa, bir kez daha özel ve yüce Tanrı ismini kendi üstüne alıyor. Yahudiler'in ellerine taş alıp onu öldürmek istemesinin sebebi de budur. Gerçekten Tanrı olmasaydı –ki onlar olmadığını düşünüyorlardı– o zaman çok büyük bir sapkınlığa imza atıyor olurdu.

Üçlübirlikle Yüz Yüze

Ancak tabii ki İsa'nın yaptığı bir sapkınlık değildi. Dedikleri doğruydu. İsa tanrısallık iddiasını defalarca kanıtlamış ve desteklemişti. Bunu anladığınızda, İsa'nın Tanrı'nın Oğlu olduğunu söylemedeki ısrarının önemini daha derin katmanlarda görebilirsiniz. Bu sadece siyasi anlamda bir kral unvanı değildi, aynı zamanda karakter, yücelik ve seviye olarak Tanrı'ya eşit olduğunu söylemekti. Yuhanna bunu şöyle açıklıyor: "İşte bu nedenle Yahudi yetkililer O'nu öldürmek için daha çok gayret ettiler. Çünkü yalnız Şabat Günü düzenini bozmakla kalmamış, Tanrı'nın kendi Babası olduğunu söyleyerek kendisini Tanrı'ya eşit kılmıştı."[47]

Bu cümleyle İsa sadece bir kral veya Tanrı'ya eşit bir kişi olduğunu iddia etmiyor, aynı zamanda Baba Tanrı'yla çok özel ve sadece O'na özgü bir *ilişki*si olduğunu da iddia ediyor. Bir örnekte Mesih, "Babam her şeyi bana teslim etti. Oğul'u, Baba'dan başka kimse tanımaz. Baba'yı da Oğul'dan ve

---

47 Yuhanna 5:18

Oğul'un O'nu tanıtmak istediği kişilerden başkası tanımaz" diyor.[48] Yine başka bir yerde bunu şöyle açıklıyor:

> İsa Yahudi yetkililere şöyle karşılık verdi: "Size doğrusunu söyleyeyim, Oğul, Baba'nın yaptıklarını görmedikçe kendiliğinden bir şey yapamaz. Baba ne yaparsa Oğul da aynı şeyi yapar. Çünkü Baba Oğul'u sever ve yaptıklarının hepsini O'na gösterir. Şaşasınız diye O'na bunlardan daha büyük işler de gösterecektir. Baba nasıl ölüleri diriltip onlara yaşam veriyorsa, Oğul da dilediği kimselere yaşam verir. Baba kimseyi yargılamaz, bütün yargılama işini Oğul'a vermiştir. Öyle ki, herkes Baba'yı onurlandırdığı gibi Oğul'u onurlandırsın. Oğul'u onurlandırmayan, O'nu gönderen Baba'yı da onurlandırmaz."[49]

Görüyor musunuz? Tanrı Oğlu İsa, Tanrı'nın kendisi olduğunu söylüyor ama aynı zamanda da, Baba Tanrı'yla özel, sadece kendisine özgü olan ve tamamen uyum içinde bir ilişkisi olduğunu iddia ediyor.

Bu nasıl olabilir?

İsa nasıl aynı anda hem Tanrı hem de Baba Tanrı'yla ilişki içinde olabilir? İşte burada bir Hristiyan öğretisi olan Üçlübirlik karşımıza çıkıyor. Kelimeden anlaşılacağı gibi bu kavram üç ve birlik ifadelerinin birleştirilmesiyle oluşturulmuştur. Belki de daha önce Üçlübirlik kelimesini duymuşsunuzdur. Hatta Hristiyanların nasıl Baba Tanrı, Oğul Tanrı ve Kutsal Ruh Tanrı'nın birbirinden farklı üç kişi ama aynı zamanda da tek bir Tanrı olduğundan bahsettiklerini duymuşsunuzdur.

---

48 Matta 11:27
49 Yuhanna 5:19-23

Üç tanrı değil! Hayır, Kutsal Kitap birinci sayfasından itibaren çok kesin bir şekilde sadece tek bir Tanrı olduğunu ancak üç farklı kişide var olduğunu vurgular.

Burada anlamanızı umduğum nokta, Hristiyanların Üçlübirlik kavramını kendileri ortaya atıp uydurmadıklarıdır. Hristiyanlar bu kavramı tanımlamış, tarif etmiş, öğretmiş ve savunmuştur çünkü *bu öğretiyi Kutsal Kitap'ın içerisinde görmüşlerdir.* İsa'nın kendiyle, Baba'yla ve Kutsal Ruh'la ilgili konuşmalarında Üçlübirliği görmüşlerdir. İsa'yı dinledikleri zaman duydukları şeylerin bir özeti şöyledir:

1. İsa'nın, Tanrı'nın tek olduğunu kabul ettiğini duydular.[50]

2. İsa'nın, kendisinin Tanrı olduğunu, Baba'nın Tanrı olduğu ve (sonra da) Kutsal Ruh'un Tanrı olduğunu söylediğini duydular.[51]

3. Son olarak da İsa'nın, kendisinin, Baba'nın ve Kutsal Ruh'un *aynı kişi olmadığını,* aksine birbirinden farklı olduklarını ama yine de birbirleriyle özel ve derin bir ilişki içinde olduklarını söylediğini duydular.[52]

Belki şimdi bu cümlelere baktığınızda, "Ben bu üç cümlenin nasıl hem tamamen aynı hem de tam anlamıyla gerçek, doğru olduğunu anlamıyorum" diyebilirsiniz. Dürüst olmak gerekirse, ben de anlamıyorum! Hatta hiçbir Hristiyan anlamıyor. Ama benin anlamam veya anlamıyor olmam mesele değil. Bir Hristiyan olarak ben İsa Mesih'e inanıyorum ve O, bu üç şeyi de öğretti. Bu nedenle ben, aklımla hepsini kavra-

---

50 Örn. Markos 12:29
51 Örn. Yuhanna 5:18; 8:58; Luka 12:10
52 Örnek olarak Yuhanna 14:16-17'deki ilişkiye dikkat edin.

yamasam da, bunların tamamına, tümüyle kastedildiği şekilde iman ediyorum.

Burada mesele şu ki, bu üç cümle mantık kullanılarak birbiriyle bağdaştırılamaz ve ayrıca ben de, mantığımın ve aklımın sınırsız olmadığının farkındayım. Dünya üzerinde tamamen anlayamadığım birçok şey var. Bu nedenle bana göre, benim sınırlı aklımın almadığı ve Tanrı'nın sınırsız bilgeliğine sığacak sınırsız sayıda şey hayal etmek benim için zor değil. Kesin olarak bildiğim şu ki, İsa, tek bir Tanrı olduğunu, kendisinin, Baba'nın ve Kutsal Ruh'un aynı kişi olmadığını ancak birbirleriyle özel bir ilişkide olduklarını söylemiştir. Ben de dahil olmak üzere Hristiyanlar, yüzyıllar boyunca bu karmaşık gerçeğe Üçlübirlik demişlerdir.

Tek Yol

Önemli olan nokta şu: İsa'nın gerçekten Tanrı olduğunu ve Baba'yla özel bir ilişkide olduğunu anlamaya başladığınızda, yaratıcınız olan Tanrı'yı tanımak için, İsa'yı tanımanız gerektiğini de anlıyorsunuz. Bunun başka bir yolu yoktur.

İşte bu nedenle, İsa'nın ancak ve ancak yüce "Ben" olmaması da, bizler için son derece büyük bir müjdedir. O aynı zamanda tamamen ve sonsuza dek *bizden biri*dir.

5

... Bizden Biri

Hristiyanlık tarihinin erken dönemlerinde bir grup insan, İsa'nın gerçek bir insan olduğunu reddetmiştir. İsa'nın kutsallığıyla ilgili kanıtlar o kadar güçlüdür ki, bu insanlar O'nun aynı zamanda insan olamayacağını düşünmüşlerdir. Belki de O, sadece bir vücut içinde bulunan Tanrı'ydı ya da belki de Tanrı ve insan arasında bir şeydi. Ama onlara göre, İsa'nın bizden biri olmasına, bir insan olmasına imkân yoktu. İsa'nın insanlığını reddeden bu insanlar zamanla *Doketist*ler olarak adlandırıldı. Grekçede *doke*, "gibi görünen" anlamına gelir. Bu kelime, onların görüşüne uymaktaydı. Çünkü bu kişilere göre İsa, gerçekte bir insan değildi, sadece bir insan *gibi görünüyordu.*

Diğer Hristiyanlar hızlıca Doketizm akımının yanlış olduğunu ilan ettiler. Onlar Kutsal Kitap'ı okuyor ve İsa'nın bir tür hayalet olmadığını, Tanrı'nın insanoğlunun gerçek halini değil de sadece görünüşünü almış olmadığını, sadece bir insan gibi görünmediğini anlıyorlardı. Hayır, eğer Kutsal Kitap güvenilirse, İsa yaşadığı her günde *insandı.* Bu Hristiyanlar, O'nun kutsallığını kesinlikle reddetmedi. Onlar da İsa'nın

Tanrı'nın Oğlu, dünyanın Yaratıcısı ve yüce "Ben" olduğuna ikna olmuşlardı. Ama aynı zamanda yüce "Ben"in inanılmaz bir biçimde aramıza geldiğine ve bizden biri olduğuna da ikna olmuşlardı.

Bir Ziyaretçiden Daha Fazlası

Biraz sonra vereceğim örneklerde olduğu gibi, İsa'nın hayatı, O'nun insan olduğunu kanıtlayan olaylarla doludur. Kutsal Kitap bize O'nun acıktığını, susadığını, yorulduğunu ve hatta uykusu geldiğini söylüyor (teknede uyuduğunu hatırlıyor musunuz?). O, Grek ve Romalılar'ın düşündüğü gibi, arada bir insan biçimi alan ama asla *tamamen* insan olmamış ve dolayısıyla da insan olmanın zayıflıklarına bürünmek zorunda kalmamış bir Olympos tanrısı değildi. Hayır, İsa gerçekten bir insandı ve tıpkı sizin ve benim gibi, insanlığın beraberinde getirdiği tüm zorlukları yaşadı.

Bu, yeterince yemek yemediğinde acıkması, uyumadığında yorulması demekti. Askerler dikenden yapılan tacı başına bastırdıklarında, ellerine çiviler çaktıklarında canı acımıştı. Arkadaşı öldüğünde, biraz sonra onu diriltecek olsa bile üzüldü ve ağladı! Zayıf düştü. Kutsal Kitap bizlere, Romalılar İsa'yı kırbaçladıktan sonra, izleyiciler arasındaki bir adama İsa'nın çarmıhını idam edileceği yere kadar taşıtmak zorunda kaldıklarını söylemektedir. Bu kanıtların en büyüğüne gelirsek, en büyük kanıt şudur: İsa öldü. Ölür *gibi görünmedi* veya yarı *ölü değildi* ya da *bir başka anlamda* da ölmedi. Tabii ki de hikâye İsa'nın ölümüyle sona ermiyor ama görmezden gelmenin mümkün olmadığı bir şey var: O öldü.[53]

İsa'nın gerçekten bir insan olduğunu anlamamız çok önemli çünkü bunun anlamı şu ki, O sadece dünyamıza uğra-

---

53 Matta 4:2; 8:24; 27:50; Yuhanna 19:2; 11:35; 19:33

yan bir ziyaretçi değildi. Aslında Büyük Öteki'nin[54] ziyarete gelmesi çok havalı olurdu değil mi? Ama gerçekte olan bundan daha fazlasıydı. Yaratan Tanrı, yüce "Ben" insan olmuştu. Hristiyanlar bu gerçeğe beden alma (enkarnasyon) adını verirler. Latin dilinden gelen bu kavram İsa'nın, yani Tanrı'nın ete bürünmesini anlatır. Ama burada dikkatli olmalıyız. Çünkü bu terim yanıltıcı olabilir. Yanlış anlaşılırsa, İsa'nın insanlığının sadece vücut almasından ibaret olduğu anlamı çıkarılabilir. Tanrı'nın bir deri giyip görüntüsünü değiştirdiği veya ben de bir ceket giyersem bunun İsa'nın insanlığına benzeyeceği gibi yanlış çıkarımlar yapılabilir. Bu bizi, İsa'nın sadece bir *insan gibi göründüğünü* söyleyen Doketizm'e yaklaştırır. Her ne düşünüyor olursanız olun, insan olmanın bir deriden ibaret olmadığında anlaşabiliriz. Bu çok daha derin bir şey. Kutsal Kitap, Mesih'in bütün yönleriyle, tam anlamıyla, bütün özüyle insan olduğunu söylüyor. Hristiyanlar bu yüzden yüzyıllardır bu durumu, "tamamen Tanrı, tamamen insan" ifadesiyle tanımlarlar. İsa Mesih yarı Tanrı yarı insan, ya da bunların bir karışımı ya da Tanrı ve insanın tam ortasında bir varlık değildir.

    O Tanrı'dır.
    Ve O insandır.

    Ayrıca bu, geçici (kısa süreli) bir gerçek değildir. İsa şu anda insandır ve sonsuza dek hiçbir zaman bundan *başka* bir şey olmayacaktır. Birkaç yıl önce bir arkadaşımla kahvaltı yapıyordum ve bu gerçek, bilincime çok çarpıcı bir şekilde yerleşti. Arkadaşımla uzaylılar hakkında konuşuyor (durun,

---

54 Game of Thrones evreninde geçen ve orijinal adı "the great Other" olan bir tanrı.

dinleyin anlayacaksınız), evrende başka akıllı canlı türleri-
nin olup olamayacağını ve Kutsal Kitap'ın bu konuda ne dedi-
ğini tartışıyorduk. Eğer uzaylılar varsa ve günahkâr varlık-
larsa, Tanrı onları da kurtarabilir mi ve bunu nasıl yapardı?
Sorusu ortaya çıktı.

Ben hemen cevap verdim, "Tabii ki yapabilir! İsa bir Marslı
olarak vücut alır, Marslılar'ın günahları için ölür ve iş biter!
Sonra da Klingonlular için bir çözüm düşünülürdü." Bana
göre o zaman için anlamlı bir cevaptı ama neden yanlış oldu-
ğunu görüyor musunuz? Arkadaşım başını salladı ve "Hayır,
Greg, İsa insandır. Hep insan olmuş ve hep insan olacaktır.
Hiçbir zaman insandan başka bir şey olmayacaktır" dedi.
Ben bunu daha önce hiç böyle düşünmemiştim.

Tek Kelimeyle, O Sevdi

Elbette yaptığımız son derece uçuk bir tartışmaydı. Ama
benim oradan anladığım gerçek, benim için inanılmaz dere-
cede önemliydi: İsa insandır **ve her zaman öyle olacaktır.**
Şu anda O, evrenin tahtında oturan bir insan. Dünyanın ta-
mamını yargılayacağı günde de insan olacak. Sonsuzluk bo-
yunca, çağlar boyunca Tanrı, insandır ve öyle olacaktır. O, evi
olan göklere döndüğünde bir ceket gibi üzerinden çıkaracağı
şekilde insan derisi giyinmemişti. Yüreği, ruhu, aklı ve gü-
cüyle bir insan oldu!

Bir dakikalığına hayal edin. İsa insanları ne kadar sevi-
yordu da kendisi de sonsuza dek insan olmaya karar verdi?
O, öncesizlikten beri Üçlübirlik'teki ikinci kişi olarak, mü-
kemmel ve harika bir ilişkiyle Baba'nın ve Kutsal Ruh'un ya-
nında var olmuştu. Yine de insan olmaya karar verdi. Bunu
yaptığında insan olmayı tekrar bırakmayacağını da biliyor-
du. Tanrı Oğlu'nun bunu yapmasına sebep olabilecek tek bir
şey vardır:

O, bizi çok derin bir şekilde sevdi. Bu gerçeği İsa'nın hayatındaki her detayda görebiliriz.

Birçok yerde İsa'nın etrafındakilere karşı derin bir merhamet duyduğunu görüyoruz. Matta bize, İsa'nın uzun süre insanlara şifa verip hizmet etmesinin sebebinin bu şefkat ve merhamet olduğunu söylüyor. O, gözü önündeki dört bin kişilik kalabalığın, günlerdir düzgün bir yemek yememiş olmasına razı olmadı.

Bunu şöyle görüyoruz: "İsa öğrencilerini yanına çağırıp, 'Halka acıyorum' dedi. 'Üç gündür yanımdalar, yiyecek hiçbir şeyleri yok. Onları aç aç evlerine göndermek istemiyorum, yolda bayılabilirler.'" Kıyıya gelip, O'ndan öğretiş duymaya can atan bir kalabalık gördüğünde İsa, "Çobansız koyunlara benzeyen bu insanlara acıdı ve onlara birçok konuda öğretmeye başladı."[55]

Bir defasında İsa, dul bir kadının ona bakacak tek genç oğlunun cenazesiyle karşılaştı ve sonrasını Kutsal Kitap şöyle aktarıyor:

"Rab kadını görünce ona acıdı. Kadına, 'Ağlama' dedi. Yaklaşıp cenaze sedyesine dokununca sedyeyi taşıyanlar durdu. İsa, 'Delikanlı' dedi, 'Sana söylüyorum, kalk!' Ölü doğrulup oturdu ve konuşmaya başladı. İsa onu annesine geri verdi."[56]

Arkadaşı Lazar'ın evine geldiğinde, ölen adamın (Lazar'ın) kız kardeşinin ağlamakta olduğunu gördü. "İsa'nın içini hüzün kapladı, yüreği sızladı. 'Onu nereye koydunuz?'" diye sordu. Kutsal Kitap'a göre, arkadaşının mezarının önün-

---

55 Matta 15:32; Mark 6:34; Matta. 6:34; 14:1
56 Luka 7:13-15

de, "İsa ağladı." Etraftakiler bu duygusal dışavurumun yas ve sevgiden kaynaklandığını gördüler.

Oradaki Yahudiler kafalarını sallayıp, "Bakın, onu ne kadar seviyormuş!" dediler.[57]

İsa'nın nasıl bir insan olduğunu görüyor musunuz? O, kral olduğunu iddia eden diğer insanların genellikle olduğu gibi, hesaplar peşinde olan, katı yürekli, kendini düşünen biri değildi. Hayır, İsa yüreği etraftakiler için derin bir sevgiyle atan bir insandı. Dışlanmış insanlarla zaman geçirmekten, onlarla yemek yemekten ve hatta kutlamalarına katılmaktan hoşlanırdı çünkü O, "Sağlıklı olanların değil, hastaların hekime ihtiyacı var. Ben doğru kişileri değil, günahkârları tövbeye çağırmaya geldim" diyordu.[58] İsa kollarına küçük çocukları aldı, onlara sarılıp onları kutsadı. Hatta İsa, kendisi meşgul olduğundan dolayı çocukları O'ndan uzaklaştırmak isteyen öğrencilerini azarladı. Öğrencilerine sarıldı, şakalar yaptı, onlara teşvik olup onları affetti, güçlendirdi, yeniledi ve iyileştirdi. Tek kelimeyle, O *sevdi*.

Görüyor musunuz? İnanılmaz şeyler –sadece Tanrı'nın yapabileceği şeyleri– yaptığı halde, insanlara derin bir şefkat, merhamet ve sevgiyle yaklaştı. Sadece insan değildi, aynı zamanda Tanrı'nın, insanların nasıl olmasını istediğini de bize gösterdi.

Oğul Tanrı, Neden İnsan Oldu?
Çünkü İnsan Olmasına İhtiyacımız Vardı

Ama İsa, *sadece* bizlere Tanrı gözünden insanlığı göstermek için gelmedi. Hayır, İsa, bizim öyle olmasına ihtiyacımız olduğu için insan oldu ve aramıza geldi. Bizi Tanrı önünde

---

57 Yuhanna 11:33–36
58 Luka 5:31-32

temsil edecek ve bizim yerimize geçecek birine ihtiyacımız vardı.

İsa Mesih nihai olarak bu amaçla geldi. Sevgili halkını kurtaracak bir Savaşçı Kral olmaya geldi.

İsa'nın insan olmasının bir diğer sebebiyse bizimle özdeşleşmekti. Bizimle bir olacak ve bu sayede bizi temsil edebilecekti. İsa, tam da bu yüzden, hizmetinin başında Vaftizci Yahya tarafından vaftiz edilmekte ısrarcı olmuştu. Yahya ilk başta bu duruma karşı çıktı çünkü biliyordu ki, kendisinin vaftizi tövbe içindi. Yahya'nın vaftizi, günahlı olduklarını bilenler için, bu günah yolundan dönmeyi seçtiklerinde yapılıyordu. Ayrıca Yahya, İsa'nın günahsız Tanrı'nın Oğlu olarak vaftize ihtiyaç duymadığını biliyordu. Ama yine de İsa, Yahya'yı karşı çıktığı için azarlamadı, İsa da Yahya gibi, tövbe etmesine gerek olmadığını biliyordu. Ama zaten vaftiz olmak istemesinin nedeni tövbe değildi. İsa ona, "Şimdilik buna razı ol! Çünkü doğru olan her şeyi bu şekilde yerine getirmemiz gerekir" dedi.[59] Başka bir deyişle İsa, "Yahya, kesinlikle haklısın. Tövbe için vaftiz olmama gerek yok ama benim aklımda bunun aracılığıyla farklı bir şey gerçekleştirmek var. O yüzden bunu yapmamızda sakınca yok" diyordu. Gördüğümüz gibi İsa, günahlarından dolayı değil, günahlı insanoğluyla tamamen özdeş olmak için bunu yapıyordu.

O bizim seviyemize iniyor, kendini bizim yerimize koyuyor, aramızda yerini alıyor ve iyi ve kötü her şartta günahlı ve bozulmuş insanlığa iki elle sarılıyordu.

Bundan sonra ne olduğunu hatırlıyorsunuz değil mi? Göklerden gelen ses, İsa'yı Tanrı'nın *sonsuz* Oğlu olarak tanımlıyor ve aynı zamanda da O'nu Tanrı'nın *saltanat sahibi* Oğlu, yani İsrail Kralı olarak atıyordu. Göklerden gelen bu sözlerde

---

59 Matta 3:15

anlamamız gereken bazı başka şeyler daha var. Ama şimdilik, İsa'nın birçok günahlıyla birlikte vaftiz olma nedeninin bu olduğunu görmemiz yeterli. O, günahkârların yerini almaya, Kral ve Kurtarıcı olmaya atanıyordu.

Savaş Başlıyor

Markos şöyle diyor: "O an Ruh, İsa'yı çöle gönderdi. İsa çölde kaldığı kırk gün boyunca Şeytan tarafından denendi. Yabanıl hayvanlar arasındaydı, melekler O'na hizmet ediyordu."[60] Bütün olaylardan sonra bunun olması, beklendik bir şeydi. Krallığı almış ve günahkârlarla özdeşleşmiş olan Kral İsa, bu kadim savaşta onların yanında savaşacak ve kaybetmekte oldukları mücadeleyi onlar için kazanacaktı. O yüzden İsa, çöle gidip halkının ölümcül düşmanı olan Şeytan'la, zamanın sonuna kadar devam edecek olan –Büyük suçlayıcı Şeytan ve Yüce Kral İsa Mesih arasındaki– mücadeleyi başlatmıştı.

Hikâyenin ufak detayları bile, İsa'nın tarih boyunca insanlık ve İsrail ulusunun savaşıp zaten kaybettiği bir mücadeleyi ele aldığını anlamamıza yetiyor. Çöldeki denenmeyi düşünelim. Çöl, İsrail'in bir nesil boyunca denendiği, felaket bir şekilde başarısız olduğu yerdi. Peki ya kırk günlük oruç? Bu da İsrail'in çölde kırk yıl dolaşmasıydı. İsa, sembolik olarak, her gün bir yıl olmak üzere bu denenmelere dayanıyordu. Burada olanı gözden kaçıramayız. Tacı almış olan İsa, şimdi halkı adına savaşıyordu.

İsa'nın Şeytan tarafından denenmesi, en çok Matta tarafından işlenir. Bu İsa'nın hayatındaki en çarpıcı zamanlardan biriydi. Şeytan İsa'yı üç farklı denenmeyle ayartmaya çalışırken, denenmelerin şiddeti göklere doğru çıkıyor. Bun-

---

60 Markos 1:12-13

ların gerçekleştiği coğrafya bile bize bunu göstermeye yeterli. Şeytan, ilk denemesinde İsa'yı çöle, ikincisinde tapınağın zirvesine ve sonuncusundaysa çok yüksek bir dağın tepesine götürüyor. Sanki denenmeler ciddileştikçe ve zorlaştıkça, coğrafi yükseklik de artmaktadır.

Şeytan'ın ilk denemesi aslında çok zor gibi görünmüyor. Şeytan, "Tanrı'nın Oğlu'ysan, söyle şu taşlar ekmek olsun" der. O anda İsa'nın bir ayı aşkın bir süredir oruç tutmakta olduğunu unutmayın. Dolayısıyla karnı son derece aç olmalıydı. Dahası İsa, taşları ekmek yapmanın çok daha ötesinde olan mucizeleri çok yakında gerçekleştirecekti. Yani aslında bunu yapmak O'nun için oldukça kolay olurdu. Eğer bu doğruysa, Şeytan'ın dediğini yapması neden İsa için yanlış olurdu? Cevap, Şeytan'a verdiği cevabın içindedir, "'İnsan yalnız ekmekle yaşamaz, Tanrı'nın ağzından çıkan her sözle yaşar' diye yazılmıştır." Mesele, İsa'nın Şeytan'ın dediği *herhangi bir şeyi yapması* değildi. Önemli olan İsa'nın, daha önce İsrail'in yaptığı gibi kendi *anlık* rahatını seçip seçmeyeceği ve Baba Tanrı'nın çizdiği alçakgönüllülük ve acı yolunu yürüyüp yürümeyeceğiydi. İnsanların sürekli tatmin olmak isteyerek tekrar tekrar günah işlediği noktada Kral İsa, Tanrı'nın sağlayışına ve korumasına güvendi.

İsa ilk denenmeden çıkınca, Şeytan O'nu Yeruşalim'de bulunan tapınağın en üst noktasına götürdü. Bu yükseklik O'nun başını döndürmüş olabilirdi. Şeytan şöyle dedi: "Tanrı'nın Oğlu'ysan, kendini aşağı at. Çünkü şöyle yazılmıştır: 'Tanrı, senin için meleklerine buyruk verecek. Ayağın bir taşa çarpmasın diye seni elleri üzerinde taşıyacaklar.'" Yeniden görüyoruz ki, Şeytan'ın dedikleri mantıklıydı. Hatta o, İsa'ya Kutsal Yazılar'dan alıntılar bile yapıyordu! Bir önceki denenmede olduğu gibi burada da asıl mesele, İsa'nın İsrail gibi Tanrı'nın isteği yerine kendi istediğini yapmaya kalkacak olup olmadığıydı. Görüyor musunuz? Şeytan, İsa'ya Baba'nın sözünü hafife aldırmaya ve kendini yücelttirmeye çalışıyordu. İsa bunu reddetti ve Şeytan'a, "'Tanrın Rab'bi denemeyeceksin' diye de yazılmıştır" dedi. Başka bir deyişle, Tanrı'dan kanıt isteyerek ondan şüphe etmeyeceksin. O'na, sözlerine ve seni kendi zamanında kendi isteği uyarınca koruyup kollayacağına güveneceksin.

Üçüncü denenme aynı zamanda en küstahça olanıydı. İsa'yı çok yüksek bir dağın tepesine götüren Şeytan, O'na dünyadaki bütün krallıkları ve görkemlerini gösterdi. O'na bir teklifte bulundu: "Yere kapanıp bana taparsan, bütün bunları sana vereceğim" dedi. Ne kadar korkusuzca ve sinsice yapılan bir teklif. Yaratık, Yaratıcısı'na diz çökmesini ve kendisine tapmasını buyuruyor. Üstelik eğer bunu yaparsa, Baba'nın zaten O'na vaat ettiği şeyleri kendisine vereceğini ve Baba'nın zaten O'nun önüne koyduğu acı ve ıstırap yolundan gitmek zorunda kalmayacağını söylüyor. İsrail ulusu, bu denenmeyle defalarca karşılaşmıştı. Güçlü komşularla ittifaklar kurmak, hainlik ve itaatsizlik etmek, güvenliği ve görkemi Tanrı'dan değil de başka yollardan elde etmeye kalkmak bunun birer parçasıydı. İsrail defalarca bu denenmelerde başarısız oldu. Ama İsa bunu yapmadı ve şöyle dedi: "Çekil git, Şeytan! 'Tanrın Rab'be tapacak, yalnız O'na kulluk edeceksin' diye yazılmıştır."[61]

İsa'nın bu sözlerle Şeytan'a meydan okurken ne yaptığını görüyor musunuz? O, doğruluk ve itaat adına, İsrail'in çok önce kaybettiği savaşa yeniden başlıyordu. Şeytan'ın O'na sunduğu üç denenmenin hepsi (Tanrı'ya güvensizlik, O'nu denemek, O'na tapınmamak), aslında İsrail ulusunun daha önceki başarısızlıklarıydı. Şeytan'a göre bunlar işe yarayan

---

61 Matta 4:3-10

ayartmalardı ve bunları İsa'da da denedi. Ama bu sefer Şeytan kaybetmişti. Kral İsa her adımda onu yenmişti. İsrail'in Kahramanı bu kaybedilmiş savaşta insanları için yeniden savaşıyor ve kazanıyordu!

Luka bize şöyle aktarıyor: "İblis, İsa'yı her bakımdan denedikten sonra bir süre için O'nun yanından ayrıldı."[62] Ama henüz her şey bitmemiş olsa da, insanlığın canı uğruna çağlar boyunca devam eden savaşın tarafları, artık tam anlamıyla savaşa katılmış demekti.

---

62 Luka 4-13

6

Son Adem'in Zaferi

Çoğu zaman çatışmaların tarihte çok eskiye giden kökleri vardır. Savaşlar ve çatışmalar hakkında haber başlıklarını okuduğunuzda görürsünüz ki, bu olaylar durduk yere ortaya çıkmaz. Bazen çatışmaların kökeni yüzyıllar öncesine, hatta daha öncesine bile dayanabilmektedir.

İsa ve Şeytan için de bu aynıydı. İsa'nın, büyük Suçlayıcı Şeytan'la yüzleşip onu yendiği o an, bütün insanlığın içinde olduğu binlerce yıllık mücadelenin bir doruk noktasıydı. Aslında o an, mücadelenin sonunun başlangıcıydı. Yüzyıllar boyunca Şeytan, Tanrı ve O'nun dünyayla ilgili tasarılarına karşı durmuştu ama şimdi, onu kesin bir şekilde yenecek Olan'la yüz yüze gelmişti. Bunun nedeni Şeytan'ın, İsa'nın kim olduğunu anlamaması değildi. Özellikle ilk iki deneme, İsa'nın Tanrı'nın Oğlu olmasıyla alakalıydı. Ama bunun farkında olsa da Şeytan, yine de İsa'yı bir şekilde günaha düşürebileceğine inanıyordu. Neden olmasın? Hepsi düşmüştü. Bu neden düşmeyecekti ki? Belki de Tanrı insan olarak, vücut alarak, insan zayıflıklarının ve sınırlarının içine girerek bir hata yapmıştı. Belki de Tanrı artık yenilmez değildi.

Bu karşılaşmanın sonunda Şeytan, İsa'yla giriştiği bu uğraşın aslında boş olduğunu anlamış olmalıydı. En iyi taktiklerinin bile işe yaramadığını görüp belki "son"un yaklaştığını anladığı için oradan uzaklaşmıştı. Merak uyandıran başka bir şey de şu: acaba Şeytan binlerce yıl önce Tanrı'nın, "Onun soyu senin başını ezecek, Sen onun topuğuna saldıracaksın"[63] dediğini hatırlıyor muydu?

Şeytan o sırada, Tanrı'ya karşı olan savaşının daha iyiye gidiyor gibi göründüğü o günleri özlemle anıyor olmalıydı.

Tanrı'yı Tahtından İndirmek İstedi

Kutsal Kitap, Şeytan konusu üzerinde çok durmuyor. Kitabın odağında Tanrı, O'nun insanlarla olan ilişkisi, insanların O'na karşı isyanları ve günahları ve Tanrı'nın onları kurtarma ve bağışlama tasarısı yer almaktadır. Ama tüm bu süreçte Şeytan, insanlığın Büyük Suçlayıcısı, Ayartıcısı, Tanrı'nın ve tasarılarının en büyük Düşmanı olarak hep oradaydı ve hep aynıydı. Şeytan'ın çıkış noktası hakkında çok bilgiye sahip değiliz. Ama Kutsal Kitap'ta nereden geldiği hakkında ufak detaylar yer almaktadır. Şurası açık ki, Şeytan bir tür Tanrı karşıtıdır. O'nunla aynı güçte değil, ancak zıt karakterdedir. Bir başka deyişle Şeytan, Kutsal Kitap'ta hiçbir zaman Tanrı'nın "yin"ine, "yang" olarak tasvir edilmemektedir.

Eski Antlaşma peygamberleri bize Şeytan'ın aslında önceleri bir melek olduğunu ve görevinin diğer melekler gibi Tanrı'ya hizmet etmek olduğunu aktarır. Hezekiel peygamber şöyle diyor:

> Kusursuzlukta örnek biriydin,
> Bilgeliğin ve güzelliğin eksiksizdi.
> Sen Tanrı'nın bahçesi Aden'deydin.

---

63 Bkz. Yaratılış 3:15

Yakut, topaz, aytaşı,
Sarı yakut, oniks, yeşim,
Laciverttaşı, firuze, zümrütle, çeşit çeşit değerli taşla
bezenmiştin.
Kakma ve oyma işlerin hep altındandı.
Bunlar yaratıldığın gün hazırlanmışlardı.
Meshedilmiş, koruyucu bir Keruv olarak
Seni oraya yerleştirdim.
Tanrı'nın kutsal dağındaydın,
Yanan taşlar arasında dolaştın.
Yaratıldığın günden
Sende kötülük bulunana dek
Yollarında kusursuzdun.[64]

Hezekiel kitabını okuduğunuzda, bu cümlelerin açıkça Sur Kralı'na atfedildiği anlaşılıyor. Bütün olay, Tanrı'nın Hezekiel'e "İnsanoğlu, Sur Kralı için bir ağıt yak" demesiyle başlıyor.[65] Eski Antlaşma peygamberlikleri gizem dolu harika mesajlardır ve bazen yüzeyde görünenin çok daha fazlasını ifade ederler. Burada da durum böyle. Cümlelerin henüz başından itibaren açıkça görüyoruz ki, Hezekiel *sadece* bir kraldan bahsetmiyor. Sonuçta, zengin ama çok da ortada olmayan eski bir Ortadoğu kıyı şehrinin kralına "Sen Tanrı'nın bahçesi *Aden'deydin*", "*Meshedilmiş, koruyucu bir Keruv olarak, seni oraya yerleştirdim*", "*Tanrı'nın kutsal dağındaydın*" gibi şeyler söylemek ne anlam ifade eder ki? Bunları söylemek, bir şiirde dahi olsa anlamsız olurdu.

Görüyoruz ki burada başka bir şey söz konusu ve buradaki olay bir film sahnesini andırıyor. Sanki Sur şehrinin kralının

---

64 Hezekiel 28:12-15
65 Hezekiel 28:12

yüzü bir an kendi yüzü iken bir anda kendi karakterinin arka planında, kralı yönlendiren, karakterini yansıttığı başka biri haline geliyor. Hezekiel'in burada ne yaptığını anlıyor musunuz? Sur kralına ettiği peygamberlik içinde, bizlere kralın da ötesinde, Tanrı'ya karşı isyanın vücut bulmuş hali olan Şeytan'dan bahsediyor. Hezekiel Şeytan'ın düşüşünü şu şekilde betimliyor: "Güzelliğinden ötürü gurura kapıldın, görkeminden ötürü bilgeliğini bozdun. Böylece seni yere attım, kralların önünde seni yüzkarası yaptım."[66] Bir başka peygamber olan Yeşaya, Şeytan'ın günahını şu şekilde anlatmakta: "Ey parlak yıldız, seherin oğlu, göklerden nasıl da düştün! Ey ulusları ezip geçen, nasıl da yere yıkıldın! İçinden, 'Göklere çıkacağım' dedin, 'Tahtımı Tanrı'nın yıldızlarından daha yükseğe koyacağım; ilahların toplandığı dağda, Safon'un doruğunda oturacağım. Bulutların üstüne çıkacak, kendimi Yüceler Yücesi'yle eşit kılacağım.'"[67]

Şeytan'ın asıl günahı kibirli olmaktı. Dıştan bakıldığında sahip olduğu o muazzam güzelliğin yanında, Tanrı'nın onu yaratış şeklinden memnun değildi. Daha fazlasını istedi. Yeşaya'nın aktardığına göre, "Yüceler Yücesi'yle eşit" olmak istedi. Tanrı'yı tahtından indirmek istedi.

Şeytan insanlara saldırmaya karar verdi. Onları Tanrı'ya karşı gelmek ve kendi yollarını izlemek için ayartmaya karar verdikten sonra, sizce bu yolda insanlara Tanrı'nın yetkisine karşı geldikleri takdirde *Tanrı gibi* olabileceklerini söylemesi şaşırtıcı mıdır?

---

66 Hezekiel 28:17
67 Yeşaya 14:12-14

Tanrı'nın Kral Olduğuna Dair Yaşayan Bir Hatırlatıcı

Hikâye Kutsal Kitap'ın en başında hızlı bir şekilde Yaratılış bölümüyle başlıyor ve ardından yine hızlı bir şekilde, insanlık olarak İsa'ya neden ihtiyaç duyduğumuzu görebilir hale geliyoruz. Şeytan ilk insanları başarıyla ayartarak, onlara geri dönüşü olmayacak derecede ağır bir darbe vurduğunu ve bu sayede de yalnızca Tanrı'nın yüreğine değil, aynı zamanda O'nun tahtının temeline de saldırdığını düşünüyordu. *Yaratılış* kitabının orijinal dilindeki anlamı "başlangıç" demektir ve kitap tam da bu başlangıcı anlatmaktadır. İlk bölümlerinde Tanrı'nın tüm dünyayı –toprağı, denizi, kuşları, hayvanları ve balıkları– tek bir sözüyle nasıl yarattığı ve yaratılışın o sırada nasıl iyi olduğu anlatılıyor. Tanrı yaptığı işi insanı yaratmakla mühürlemişti. İlk insan, hayvanlardan bir tanesi değildi. O özeldi, Kutsal Kitap'a göre, Tanrı tarafından, O'nun "suretinde" yaratılmıştı ve yaratılışın geri kalanının üzerindeydi. İnsanların Tanrı'nın yüreğinde özel bir yeri vardı. Yaratılış bölümünde Tanrı'nın ilk insanı yaratması şöyle anlatılır: "RAB Tanrı Adem'i topraktan yarattı ve burnuna yaşam soluğunu üfledi. Böylece Adem yaşayan varlık oldu."[68] "Adem" isminin İbranicesi *adam*dır (yani insan) ve doğal olarak da bu isim, Adem'e verilmiştir.

Tanrı başlangıçtan itibaren Adem'e nazik davranmıştır. O'nu Aden denilen dünyanın özel bir yerine koymuş ve bir bahçe yaratmıştır. Burası, "meyvesi yenen ve göze güzel görünen ağaçlarla donatılmış" güzel bir yerdi. Dahası, bahçenin merkezinde iki özel ağaç duruyordu, Yaşam Ağacı ve İyiyle Kötüyü Bilme Ağacı. Adem'in bahçedeki hayatı güzeldi ama bu haliyle eksikti. Adem'in bir hayat arkadaşına ihtiyacı vardı

---

68 Yaratılış 1:27; 2:7

ve Tanrı bunu bilerek şöyle demişti: "Adem'in yalnız kalması
iyi değil, ona uygun bir yardımcı yaratacağım." Dolayısıyla
da Tanrı çoğumuzun da aslında doğal olarak yapacağı şekil-
de, Adem'in diğer hayvanlara isim vermesine izin verdi![69]
Belki de bu noktada kendinize bunların ne anlama geldi-
ğini soruyorsunuz. Yalnız değilsiniz! Hikâyenin bu bölümü
birçok insanın, hatta uzun senelerdir Hristiyan olanların bile
kafalarını kaşımalarına sebep olmuştur. Bu, Havva'nın yara-
tılış hikâyesinden önce, bir tür reklam arası gibi bir şeydir.
Ama Kutsal Kitap'ı anlamak istiyorsanız, hatırlamanız gere-
ken önemli bir prensip, hiçbir bölümün veya ayetin rastlan-
tı eseri orada olmadığıdır. Adem'in hayvanlara isim verme
hikayesi önemli birkaç şeye sebep oluyor. İlk olarak Tanrı,
Adem'e önemli bir ders veriyor. Bütün hayvanlar önünden
geçerken ve Adem onlara "Aslan!" "Kaplan!" ve "Sivrisinek!"
diye isimlerle hitap ederken, bunların hiçbirinin ona bir ha-
yat arkadaşı olamayacağını anlıyor. Hiçbiri ona benzemiyor.
Bu noktadan sonra Tanrı, Adem'e derin bir uyku verir
ve kaburga kemiklerinden birini alarak ilk kadını, Adem'in
hayat arkadaşını, yoldaşını yaratır. Adem'in kalkıp onu gör-
düğünde ne kadar heyecanlı olduğunu düşünün! Arkadaşı
mükemmeldi! Özellikle de mavi balina, zürafa ve böceklerin
ona düzgün bir hayat arkadaşı olamayacaklarını anladıktan
sonra. Adem şöyle haykırır: "İşte, bu benim kemiklerimden
alınmış kemik, etimden alınmış ettir. Ona 'Kadın' denilecek,
çünkü o adamdan alındı."[70] Tanrı'nın Adem'e bütün hayvan-
ları gösterip isim vermesini istemesinin bir sebebi de budur.
Tanrı, hiç şüpheye yer olmadan kadının onun için, her anlam-
da yakınlık kurması amacıyla *ondan* yaratıldığını anlaması-
nı istedi.

---

69 Yaratılış 2:8–10, 18
70 Yaratılış 2:23

Bu isimlendirme konusu aracılığıyla başka bir şey daha olmaktaydı. Tanrı, Adem'in yaratılışı izlemesinden keyif alıyor olmalıydı ama bu bir oyun veya eğlence olsun diye değildi. Bu, Tanrı'nın ona dünyada bir görevi olduğunu öğretme şekli olmalıydı. Yaratılışın son dokunuşu ve Tanrı'nın suretinde yaratılmış tek yaratık olan Adem, Tanrı'nın dünyasına hakim kılınacaktı. Bir şeye isim vermek, tıpkı anne babaların çocukları üzerinde yetkiye sahip olması gibi, o şeyin üzerinde çok büyük bir yetkiye sahip olmak demektir. Hayvanlara isim vermek de böyledir. Adem burada hayvanlar üzerindeki yetkisini sergiliyor ve O'nun denetiminde Tanrı'nın yaratılışının bir vekili olarak görevini yerine getiriyordu.

Özellikle Adem'in, kadını görüp ona isim vermesiyle bu gerçek daha da önem kazanıyor. Adem önce "ona 'Kadın' denilecek" dedi ve sonrasında da Kutsal Kitap'a göre, ona tekrar isim vererek, "karısına Havva adını verdi. Çünkü o bütün insanların annesiydi." Burada Tanrı'nın ne yaptığını anlıyoruz. Tanrı yepyeni bir yetki sistemi kurarak bu sistem içerisinde Adem'i Havva üzerinde yetkili kılarken, aynı zamanda ikisini karı-koca olarak da yaratılış üzerinde yetkili kılıyor. Buradaki amaç da, Tanrı'nın bütün yaratılış üzerinde tahtta oturduğu gerçeğini göstermektir. Tanrı'nın erkek ve kadını "kendi suretinde" yaratmasındaki amacın en azından bir kısmı, bundan oluşur. Bir suret veya bir heykel, bir yeri fetheden krallar tarafından fethedilenlere kimin hüküm sürdüğünü hatırlatmak için kullanılır. Suretler, fethedilen bölgenin tamamından görünecek şekilde yüksek bir yere konularak insanlara şu mesajı iletir: "Bu senin kralın." Bu, Adem ve Havva'nın yaratılışında da böyledir. İnsanların Tanrı'nın suretinde yaratılması fikrinin bir kısmı da, insanların, Kral Tanrı'nın evrene bir hatırlatıcısı olarak dünya üzerinde yaşamalarıydı. Yaratılışın üzerinde hüküm sürseler bile, bunu

Kral'ın, bizzat Tanrı'nın temsilcisi olarak yapacaklardı. Tüm
bunlar Şeytan'ı oldukça kızdırmış olmalı.

Verilen Zarar Çok Büyüktü

Şeytan'ın insanlara saldırmasının amacı, Tanrı'nın bahçe-
de yaptıklarının tamamını boşa çıkarmaktı. Anlıyor musu-
nuz? Onun amacı sadece bir insanı Tanrı'ya karşı küçük bir
günaha itmek değildi. Onun amacı, kurulan bütün yetki yapı-
sını, krallığın bütün sembollerini ve Tanrı'nın hükümdarlığı-
nı sona erdirmekti. İnşa edilen yaratılışı baştan sona tersyüz
etmek, Tanrı'yı aşağılamak istiyordu.

Kutsal Kitap'ta, Tanrı'nın Adem ve Havva'ya Aden Bahçe-
si'nde, İyiyle Kötüyü Bilme Ağacı hariç her ağaçtan yemekte
özgür olduklarını söylediğini yazmaktadır. Bu ağaç birkaç
sebepten dolayı önemlidir. Birincisi, bu, insanlara yaratılış
üzerindeki yetkilerinin kendilerinden kaynaklı ve bağımsız
olmadığına ve sınırlı olduğuna dair bir hatırlatmaydı. Tan-
rı onlara meyveden yemeyin dediğinde, kapris yapmıyor-
du. Haklı olarak Adem ve Havva'ya onların Kralı olduğunu
ve O'nun yeryüzündeki temsilcileri olarak onurlandırılsalar
da, Yaratıcı ve RAB'bin Kendisi olduğunu hatırlatıyordu. İta-
at etmemeleri durumunda karşılaşacakları cezanın bu denli
şiddetli olmasının sebebi buydu. "Ama iyiyle kötüyü bilme
ağacından yeme. Çünkü ondan yediğin gün kesinlikle ölür-
sün."[71] Adem ve Havva için bu emre itaat etmemek, Tanrı'nın
yetkisine karşı bir darbe yapmak, bir anlamda O'na karşı sa-
vaş ilan etmek olacaktı.

Ağaç bir başka nedenden dolayı da önemliydi. Yaratılış'ı
okuyanlar, "iyiyle kötüyü bilme" işinin, İsrail hâkimlerine ve-
rilen bir görev olduğunu da göreceklerdir. Hâkim iyiyi kötü-
den ayırır, kararlar verir ve gerçekleri ortaya koyardı. İyiyle

---

71 Yaratılış 2:17

Kötüyü Bilme Ağacı, bir yargı yeriydi. Tanrı'nın bahçesinin koruyucusu olarak Adem, yargısını orada verecek, bahçeye hiçbir kötülüğün girmemesini sağlayacak ve buna rağmen bir kötülük girerse, o kötü şeyi yargılayıp oradan kovacaktı. Şeytan, Adem'e olan saldırısını, Tanrı'nın yargısının hatırlatıcısı olan bu ağacın önünde gerçekleştirdi. Bir yılan biçimine girerek Şeytan, Havva'ya meyveyi yiyip Tanrı'nın buyruğuna karşı gelmesini önerdi. Yaratılış kitabı bu karşılaşmayı şöyle aktarır:

> RAB Tanrı'nın yarattığı yabanıl hayvanların en kurnazı yılandı. Yılan kadına, "Tanrı gerçekten, 'Bahçedeki ağaçların hiçbirinin meyvesini yemeyin' dedi mi?" diye sordu.
>
> Kadın, "Bahçedeki ağaçların meyvelerinden yiyebiliriz" diye yanıtladı, "Ama Tanrı, 'Bahçenin ortasındaki ağacın meyvesini yemeyin, ona dokunmayın; yoksa ölürsünüz' dedi." Yılan, "Kesinlikle ölmezsiniz" dedi, "Çünkü Tanrı biliyor ki, o ağacın meyvesini yediğinizde gözleriniz açılacak, iyiyle kötüyü bilerek Tanrı gibi olacaksınız."
>
> Kadın ağacın güzel, meyvesinin yemek için uygun ve bilgelik kazanmak için çekici olduğunu gördü. Meyveyi koparıp yedi. Yanındaki kocasına verdi, o da yedi.[72]

Sonuç son derece acıklıydı ve en azından Şeytan için bir zafer anlamına geliyordu. Hem Tanrı gibi olacaklarını vaat ederek Tanrı'nın sevgili çocuklarını ayartmış ve itaatsizlik yapmalarına sebep olmuş hem de zamanın başından beri yapmayı tasarladığı şeyi yapmış ve yaratılışın yetki düzenini bozmuştu.

---

72 Yaratılış 3:1-6

Nasıl mı? Daha önce Şeytan'ın ayartmak için neden Adem yerine Havva'ya yaklaştığını hiç düşündünüz mü? Yetkiyi ilk alan ve Kutsal Kitap'ın devamında da devamlı suçlanan Adem olmasına rağmen, Şeytan'ın ayarttığı kişi Havva'ydı. Neden? Şeytan, Havva'nın daha kolay bir hedef olacağını düşündüğü için değil. Hayır, bunun sebebi onun amacının tamamıyla Tanrı'yı aşağılamak ve O'nun yetkisini devirmek olmasıydı. Bunu da mümkün olduğunca ikna edici ve derin bir şekilde yapmak istiyordu. Dolayısıyla da istediği şey sadece Adem'in Tanrı'ya karşı günah işlemesi değildi. Şeytan, bizzat Havva'nın, Adem'i Tanrı'ya karşı kışkırtmasını istiyordu. Dahası da var. Daha önce Şeytan neden onlara yılan biçimi alıp yaklaştı diye merak ettiniz mi? Neden başka bir insan olarak veya zürafa ya da köpek gibi bir hayvan olarak gelmemişti? Sebebi aynı. Çünkü Şeytan, Tanrı'nın yetkisini tamamıyla çökertmek istiyordu. İşte bundan dolayı, Adem ve Havva'nın *üzerinde yetki sahibi oldukları* hayvanların (sembolik anlamda) *en aşağılığı olan*, yılan olarak geldi. Şimdi anlıyor musunuz? Böylece yetki düzeni, domino taşları gibi yıkıldı. Alçak bir hayvan kadını ayarttı ve kadın da adamı ayarttı. Adam da Tanrı'ya karşı savaş ilan etmiş oldu.

Verilen zarar çok büyüktü. Adem, kendisine verilen görevde akla gelen her şekilde başarısız olmuştu. Kötülüğünden ötürü yılanı İyiyle Kötüyü Bilme Ağacı önünde yargılamak yerine, ona bahçeyi teslim etti. Tanrı'nın sözüne inanmak ve imanla hareket etmek yerine, Şeytan'a güvendi. Tanrı'nın vekili olma görevini imanla yerine getirmeye karşı, yüce tacı kendi giymeyi seçti. Tıpkı daha önce Şeytan'ın kendisinin de yaptığı gibi Adem, "Tanrı gibi" olmak istedi.

Kabus Gibi Bir Dünya

Adem'in günahlarının sonucu mahvedici olmuştu. Yaratıcısı'na karşı gelen dünyada Tanrı, kendi adaletini uyguladı ve adamı, karısını ve onları ayartanı lanetledi. Adam ve kadının hayatı, artık bir cennet hayatı olmayacaktı. Zor, acı dolu ve zahmetli bir hayat olacaktı. Doğum yapmak acı dolu olacak, çalışmak zahmetli olacak ve dünya eskisi gibi meyveler ve yiyeceklerle eli açık değil, kıtlık dolu olacaktı. En kötüsü de, Adem ve Havva'nın Tanrı'yla sahip oldukları yakın ilişki büyük bir yara almıştı, bahçeden kovulmuşlardı ve bu ilişkiye onları tekrardan götürecek kapı, artık elinde alevden bir kılıç tutan bir melek tarafından muhafaza ediliyordu.

Tanrı'nın itaatsizlik karşısında ölüm sözünün en derin anlamı işte buydu. Evet, Adem ve Havva zamanla fiziksel olarak da ölecekti ama tadacakları asıl *ölüm, ruhsal ölüm* olacaktı. Tanrı'yla, hayatın Yazarı'yla olan ilişkileri kesilmişti ve itaatsizliklerinin ağırlığı altında ruhları ölüme uğradı.

Adem ve Havva'nın günahının *sadece* onları etkilemediğini anlamak önemlidir. Soylarından gelenleri de etkilemiştir. Bu yüzden, bundan sonraki bölümlerde Kutsal Kitap, günahın nesiller boyu insanlar arasında nasıl ilerlediğini anlatıyor.

Adem ve Havva'nın oğlu Kayin, kardeşi Habil'i kıskançlık ve kibir yüzünden öldürür ve bu olaydan sonra günah, insanların yüreklerini gittikçe daha güçlü bir şekilde sarar. Kayin soyu aslında bazı teknolojik ve sanatsal gelişmeler yaparak bir şehir kurar. Ama Kutsal Kitap'ta da görüyoruz ki, insanlar gittikçe daha derin bir şekilde Tanrı'ya karşı isyanda, ölümsüzlük arayışında ve şiddet içinde yaşadıkça, yürekleri de katılaşmaktaydı. Hatta Kayin soyundan biri, onu sadece yaralamış olan bir adamı öldürdüğü için böbürleniyor ve eğer bir başkası daha kendisini yaralamaya cesaret ederse, yetmiş yedi kez daha kötüsüyle intikam alacağını söylüyordu. Günah, kabus gibi bir dünya yaratmıştı.[73]

Aynı zamanda, Tanrı'nın Adem ve Havva'ya verdiği ölüm yargısının fiziksel sonuçları (bedenlerinin sonunda toprağa dönecek olması) da, sadece onları etkilememiş, *bütün insanlığı etkilemiştir*. Yaratılış kitabında harika bir bölümle Kutsal Kitap, bizlere Adem'in soyunu ve her birinin ne kadar yaşadığını aktarır. Burayla ilgili sıra dışı olan şey, insanlarının ne kadar yaşadıklarının yanı sıra, her satırın nasıl sonlandığıdır. Her seferinde görüyoruz ki kayıtlar, "ve öldü" diye bitiyor. Adem toplam 930 yıl yaşadıktan sonra öldü. Şit toplam 912 yıl yaşadıktan sonra öldü. Enoş . . . öldü. Kenan . . . öldü. Mahalalel, Yeret ve Metuşelah . . . hepsi öldü. Ölüm, tam da Tanrı'nın söylediği gibi, insanlar arasında hüküm sürüyordu.[74]

Bunun önemini anlıyor musunuz? Adem günah işlediğinde, bunu tek başına yapmadığı gibi, sonuçlarının acısını da tek başına çekmedi. Günah işlediğinde, bunu kendinden sonra geleceklerin hepsinin temsilcisi olarak yaptı. Pavlus bu yüzden Yeni Antlaşma'da, "işte, tek bir suç bütün insanların mahkûmiyetine yol açtı" ve "çünkü bir adamın söz dinlemezliği yüzünden nasıl birçoğu günahkâr kılındıysa..." ifadelerini kullanır.[75] Adem hepimizin adına oradaydı, hepimizin adına hizmet etti, hepimiz adına *isyan etti*.

Bu gerçek, insanlara genelde adaletsizce gelir. İnsanlar genelde, "bağımsız olmayı tercih ederim", "başkası tarafından temsil edilmemeyi tercih ederim" gibi ifadeleri kullanır. Ancak dikkat çekici bir şekilde bu durum, Adem'in soyundan

73 Yaratılış 4:17-24
74 Yaratılış 5
75 Romalılar 5:18-19

gelenleri şaşırtmamıştı. Belki de bu, Adem yerine kendileri olsalardı, sonucun çok farklı olmayacağını anladıkları içindir. Bunun sebebi, tek şanslarının Tanrı'nın onların yerine yine bir başkasını, belki de bir *Adem* daha göndermesi olduğunu bilmelerindendir. Adem, Şeytan'a boyun eğip Tanrı'ya isyan ederken bunu, insanlığı temsilen yaptı. Artık ihtiyaç duyulan şey, Tanrı'ya itaat ve Şeytan'a karşı zaferde insanlığı bir *başkasının* temsil etmesiydi.

Gelinen Nokta

Görünen o ki, bu (insanlığı bir başkasının temsil etmesi), Tanrı'nın tam da yapmayı vaat ettiği şeydi.

Adem ve Havva'nın günahından neredeyse hemen sonra Tanrı, bir başka Temsilci, onların yerine geçecek ve bu sefer onlar adına kurtuluşu kazanacak yeni bir Adem vaat etti. Tanrı'nın bunu vaat ettiği an, muhteşem bir umut anıdır. Çünkü bu vaat, mümkün olan en karanlık zamanda, yani Tanrı'nın, Adem'i ve Havva'yı günaha ilk başta ayartan Yılan'ı yargıladığı zaman verilmiştir. Kutsal Kitap, Tanrı'nın dediklerini şöyle aktarıyor:

> Bunun üzerine RAB Tanrı yılana,
> "Bu yaptığından ötürü
> Bütün evcil ve yabanıl hayvanların
> En lanetlisi sen olacaksın" dedi,
> "Karnının üzerinde sürünecek,
> Yaşamın boyunca toprak yiyeceksin.
> Seninle kadını, onun soyuyla senin soyunu
> Birbirinize düşman edeceğim.
> Onun soyu senin başını ezecek,
> Sen onun topuğuna saldıracaksın."[76]

---

76 Yaratılış 3:14-15

Sözlerin sonundaki vaadi anlıyor musunuz? Tanrı bir gün, Şeytan'ın başını sonsuza dek ezecek olan bir Adam gönderecekti. Başka bir deyişle, bu adam, Adem'in insanlığın temsilcisi olarak *yapması gerekeni* yapacak, böylece onları günahların kendilerini getirdiği felaketten bütün dünyayı kurtaracaktı.

Bu noktadan sonra yeni bir Temsilci, başka bir Adem vaadi, insanlığın harika umudu olmuştur. Nesiller boyunca insanlar Tanrı'nın bu vaadini yerine getireceği günü bekledi. Bazen de bu Kurtarıcı'yı beklerken, "acaba *bu adam O adam mı?*" diye merak ettiler. Bu yüzden Nuh doğduğunda babası Lemek, "RAB'bin lanetlediği bu toprak yüzünden çektiğimiz eziyeti, harcadığımız emeği bu çocuk hafifletip bizi rahatlatacak" dedi.[77] Ama tabii ki öyle olmayacaktı. Evet, Adem gibi Nuh da insanlığın temsilcisi oldu ama gemiden çıkar çıkmaz, o da bir günahkâr olduğunu kanıtladı. Bu kusurlu ikinci Adem de ilki gibi başarısız oldu ve henüz o büyük Kurtarıcı'nın gelmediği açıktı.

Çağlar boyu ve İsrail'in tarihi boyunca, insanların Tanrı'nın vaadini gerçekleştirmesine yönelik umudu, bir temsilciden diğerine bağlanıp durdu. Musa, Yeşu, Davut, Süleyman, hâkimler, krallar... Her nesil, bunlardan birinin *O* kişi olduğunu umdu. Ama her seferinde umutları boşa çıkmıştı.

Ama sonra İsa geldi. O, Adem'in yapamadığını yapacak ve insanlığın temsilcisi olarak yerlerine geçecekti. İsa ve Şeytan arasında geçen çöldeki denenme bu yüzden önemlidir. İsa orada sadece İsrail'in kurtarıcısı, Davut soyundan gelen Kral olarak değil, aynı zamanda insanlığın Kahramanı, Adem'in kaybettiği yerde kazanacak olan kişi olarak duruyordu.

---

77 Yaratılış 5:29

Şeytan'ın, İsa'yı çölde ayartmak için kullandığı üç denenmeyi hatırlıyor musunuz? Bunlar, İsrail'in üç ünlü başarısızlığıydı, evet, ancak Şeytan, Adem ve Havva'yı bahçede ayartırken de aynı yöntemi kullanmıştı. Şu yansımaları görmek zor değil:

Taşları ekmeğe dönüştür, İsa. Sen açsın, şimdi ihtiyacını karşıla.

Şu meyveye bak, Adem. Göze ne kadar da hoş görünüyor. Şimdi onu kopar.

Tanrı gerçekten vaatlerini yerine getirir mi, İsa? Bence getirmez. Neden O'ndan bunu kanıtlamasını istemiyorsun?

Tanrı gerçekten öleceğini söyledi mi, Adem? Ben ölmeyeceğini söylüyorum. O'nu deneyelim de görelim.

Diz çök ve bana tapın, İsa. Ben de sana dünyadaki bütün krallıkları vereceğim.

Benim dediğime itaat et, Adem. Bana tapın. Seni Tanrı gibi yapacağım!

İsa'nın o gün Şeytan'a karşı verdiği mücadele, kişisel bir mesele değildi. Evet, halkıyla özdeşleşebilmek için denenmelerden geçiyordu ama aynı anda halkının asla yapamadığı bir şeyi halkı için yapıyordu; yani denenmelere gücünün sonuna kadar dayanıp, onların üstesinden geliyordu. İnsanların tarafında, onların ölümcül düşmanlarına karşı savaşırken, İsa onların aslında başından beri yapmaları gerekeni yapıyordu. O, insanlığın Kralı, Temsilcisi ve Kurtarıcısı olarak, Tanrı'ya onların yerine itaat ediyor, O'nu yüceltiyor, O'na tapınıyordu.

Ama henüz bitmemişti. Şeytan yenilmiş olsa da, lanet ("kesinlikle öleceksiniz" sözü), bir kılıç gibi insanlığın boynu üzerinde sallanmaktaydı. Kral İsa, Şeytan'ı mağlup ettikten, Tanrı'nın önünde *günahsız bir hayat* yaşayıp bütün denenmelerden geçtikten sonra bile, adalet, insanların bütün günahının görmezden gelinip hasıraltı edilemeyeceğini gösteriyordu. İstisnasız her biri, Tanrı'ya karşı isyan etmişti ve adaletin gereği uyarınca Tanrı'nın yargısı -ruhsal ölüm, Tanrı'dan ayrı kalma, hatta ilahi gazap- tamamıyla uygulanmak zorundaydı. Bundan azı, Tanrı'nın karakterinin sorgulanmasına sebep olurdu.

Gördüğünüz üzere, eğer Kral İsa halkını günahlarından kurtaracaksa, onların büyük düşmanını yenmek tek başına yeterli değildi. Sonuçta, Şeytan onları günah işlemek üzere sadece *ayartmıştı.* Tanrı'ya isyan etmek yine de onların kendi seçimiydi. Bu, ölüm cezasını hak etmeleri demekti ve ceza hâlâ daha ödenmemişti. Dolayısıyla insanları kurtarmak için, İsa'nın laneti bitirmesi gerekiyordu. Tanrı'nın verdiği ölüm hükmünün cezasını -ki bu, günahkârlar üzerinde Tanrı'nın adil gazabıdır- insanlar yerine, kendi üzerine almak zorundaydı. O, sadece yaşarken değil, ölümünde de insanlığın yerine geçmeliydi.

İşte bu nokta, mücadelenin zirvesiydi: kendi halkı yaşayacaksa, Kahraman ölmeliydi.

7

Tanrı Kuzusu, İnsanlık İçin Kurban

Vaftizci Yahya, İsa'nın neden geldiğini ve insanları kurtarması için ne yapması gerektiğini biliyordu.

İsa'nın Şeria Irmağı'na doğru yürüdüğünü gördüğünde Yahya haykırarak, "İşte, dünyanın günahını ortadan kaldıran Tanrı Kuzusu!" demişti.[78] Eminim yanlarında bulunan kalabalık şaşırmış ve heyecanlanmıştı. Günahın karşısında bir kuzu kurban etmek Yahudilerin çok yakından bildikleri bir kavramdı. Ama yine de Yahya, neden bu kavramı bir *insan* için kullanıyordu ki? Bunu duymak kaygı verici olmalıydı. Sonuçta herkes, Tanrı'ya kurban edilen kuzunun başına gelecek olanı biliyordu.

Kuzunun boğazı kesilir ve ölene kadar kanı akıtılırdı.

Biri Ölmeliydi

Yahudi kurban sisteminin kökeninin Mısır'daki kölelik zamanına dayandığı söylenir. Ama kökeni asıl olarak Aden Bahçesi'ne, Adem ve Havva'nın Tanrı'ya isyan ettikleri için ölüm cezasına çarptırıldığı ana kadar dayanmaktadır. Yahu-

---

78 Yuhanna 1:29

diler'deki kurban sistemini –ve dolayısıyla da İsa'nın taşıdığı anlamı– anlayabilmek için, Tanrı'nın, Adem ve Havva günah işlediğinde onlara öleceklerini söylemesinin, gelişigüzel bir söylem olmadığını anlamak şarttır. Bu, "Ondan yediğiniz anda kurbağaya dönüşürsünüz" demek gibi bir şey değildir. Tanrı'nın günahın sonucu olarak ölümü uygun görmesinin nedeni, bunun karakteriyle uygun ve doğru olan bir yol olmasıdır. Pavlus daha sonra Yeni Antlaşma'da şöyle aktarır: "Çünkü günahın ücreti ölüm(dür)."[79] Neden böyle olduğunu anlamak zor değil. Adem ve Havva günah işlediğinde, onlar, Tanrı'nın koyduğu önemsiz bir kuralı ihlal etmemişlerdi. Daha önce de gördüğümüz gibi, bunu yaparak, üzerlerindeki Tanrı yetkisine karşı isyan ediyorlardı. Temelde yaptıkları şey, Tanrı'dan bağımsızlıklarını ilan etmekti. Tabii ki buradaki problem, bağımsızlık ilan etmek istedikleri kişinin, kendi hayatları da dahil her şeyin Kaynağı ve Sağlayıcısı olan Tanrı olmasıydı. Ciğerlerindeki nefesi onlara üfleyen, varlıklarını borçlu oldukları Tanrı'yla ilişkileri koptuğunda, yaşamın Kaynağı'yla olan ilişkileri de kopmuştu.

Tek neden bu da değil. Aynı zamanda Tanrı, isyancılara gazapla yaklaşmakta adil ve haklıydı. Kutsal Kitap bize Tanrımız RAB'bin karakterinin mükemmel şekilde iyi, kutsal ve adil olduğunu söyler. Bunu bildiğimizde, doğruyu ve iyiyi reddedip kötüye sarılmak anlamına gelen günaha, O'nun bu denli nefretle yaklaşmasını daha da iyi anlayabiliriz. Elbette Tanrı'nın gazabı bizlerinki gibi ani ve kontrolsüz değildir. Aslında tam aksine, O'nun gazabı günaha karşı gelen ve onu yok etmeye yönelik güçlü ve kararlı bir tutumdur. Tanrı, Adem ve Havva'ya, günah işledikleri takdirde öleceklerini bu yüzden söylemişti. Her insanın ölüm hükmü altında yaşama-

---

79 Romalılar 6:23

sının sebebi de budur. Günahımızdan –bencil kötülüğümüz uğruna Tanrı'nın iyiliğinden vazgeçmemizden– ötürü bizler, Tanrı'nın gazabını hak ettik ve tüm yaşamın Kaynağı'ndan kendimizi kopardık.

İsrail'in kurban sisteminin asıl kökeni budur. Tanrı, kendi halkına günahın cezasının, günahın doğası gereği ölüm olduğunu öğretiyordu. Ama bunu öğretirken, başka bir şey daha öğretmekteydi. İnsanlara bu umutsuzluğun ortasında umut verecek bu öğreti şuydu: *Günahın cezası, günahkâr tarafından ödenmek zorunda değildi!*

Elbette günahın cezası (günah hâlâ ölüm demekti), *birisi* tarafından ödenmek zorundaydı ama Tanrı, sevgi ve lütufla, cezanın biz günahkârların yerine geçen bir temsilci tarafından ödenmesine izin verdi. Biraz düşünürseniz anlayacaksınız ki, bu düzen aracılığıyla Tanrı *hem* değişmez adaletini *hem de* merhametini görmemizi sağlıyor. Günahın gerektirdiği ceza ödenecek ve adalet tam olarak yerine gelecekti ama günahlı olanın ölmesine gerek olmayacaktı.

Bunun en sarsıcı örneği, insanların Mısır'daki kölelikten kurtuluşlarını kutladıkları Fısıh Bayramı'dır. Fısıh Bayramı'nın hatırlattığı şey, Tanrı'nın, Mısır halkı üzerinde ölüm yargısını gerçekleştirdiği o korkunç gecedir. Tanrı, defalarca Firavun'un İsrail halkını özgür bırakmama kararının, ona ve halkına ölüm getireceği hakkında uyarıda bulunmuştu. Tanrı, kendi gücünü ve egemenliğini, bütün halkı etkileyen belalarla dokuz farklı zamanda göstermişti. Bu belalar aracılığıyla Tanrı, Mısır ilahlarının karşısına geçip onları yeniyor, onlara birer birer diz çöktürüyor ve Mısırlılar'a yalnızca ve yalnızca O'nun Tanrı olduğunu gösteriyordu.

Onuncu belaya gelindiğinde, bu belaların yarattığı korku zirveye ulaşmıştı. Tanrı, Mısırlılar'a yapacaklarını Musa'ya şöyle anlatıyor:

RAB Musa'ya, "Firavunun ve Mısır'ın başına bir bela
daha getireceğim" dedi, "O zaman gitmenize izin ve-
recek, sizi buradan adeta kovacak... Gece yarısı Mısır'ı
boydan boya geçeceğim. Tahtında oturan firavunun ilk
çocuğundan, değirmendeki kadın kölenin ilk çocuğu-
na kadar, hayvanlar dahil Mısır'daki bütün ilk doğan-
lar ölecek. Bütün Mısır'da benzeri ne görülmüş ne de
görülecek büyük bir feryat kopacak. İsrailliler'e ya da
hayvanlarına bir köpek bile havlamayacak. O zaman
RAB'bin İsrailliler'le Mısırlılar'a nasıl farklı davrandığı-
nı anlayacaksınız."[80]

Tanrı burada çok korkunç bir yargı gerçekleştirmek üze-
reydi ama aynı zamanda *eğer* itaat eder ve sözlerini dinler-
lerse, halkını esirgeyeceğini de vaat etmişti.

Tanrı'nın söyledikleri, halkı için bile korkutucu olmalıydı.
Tanrı onlara, gece olduğunda her evin ilk doğanının öleceği-
ni ve her ailenin kusursuz birer kuzu alıp akşamüstü kurban
etmesi gerektiğini söylemişti. Daha sonra tüm aile, kuzunun
etini yiyecekti. Ama daha da önemlisi, Tanrı onlara kuzunun
kanını alıp kapı sövelerine sürmelerini söylemişti. Çünkü
Tanrı, Mısır'da ilk doğanların canını almak için evlerin üs-
tünden geçerken, kapı sövelerinde kan olan evlerin "üstün-
den geçip gidecekti" (Fısıh kelimesi, üstünden geçip gitmek
anlamına gelir). Eğer Tanrı'nın dediklerini eksiksiz olarak
yapmışlarsa, yani kuzu ölmüş ve aile de kuzunun kanının ar-
dına saklanmışsa, kurtulacaklardı.[81]

Şimdi durup bir düşünelim. İsrail halkı, Tanrı'nın *onların*
da evlerinden ve köylerinden geçeceğini söylemesine şaşır-

---

80 Çıkış 11:1, 4-7
81 Çıkış 12:1-13

mış olmalıydı! Daha önce yaşanan dokuz belanın hiçbirinde böyle olmamıştı. Bu dokuz belada kurbağalar, sivrisinekler, at sinekleri, çekirgeler, dolu, karanlık, kan ve de çıban, Mısır'ı tamamıyla etkilemiş ancak İsrailliler'in oturduğu yerleri es geçmişti.

Tanrı şu ana kadar halkını Mısırlılar'dan son derece ayrı tutmuş ve kendi halkının, olanları izlemekten başka hiçbir şey yapması gerekmemişti. Ama şimdi Tanrı, ölüm belasıyla onların evlerini de ziyaret edeceğini ve onların iman etmemesi ve itaat etmemesi durumunda, tıpkı Mısırlılar gibi öleceklerini söylüyordu.

Tanrı'nın Mısır şehirlerinin üzerinden geçtiği ve insanların günahının yargısı olarak ilk doğanları öldürdüğü gece çok korkunç olmalıydı. Çocukları ölürken bütün Mısır diyarı, onların çığlıklarıyla dolmuş olmalıydı. Acaba inanmayan ve itaat etmeyen İsrailliler'in çığlıkları ve pişmanlığı da onlara eşlik etmiş miydi diye merak ediyorum doğrusu. Kutsal Kitap bu konuya değinmiyor.

O gece Tanrı'nın, halkına ne öğretmekte olduğunu görüyor musunuz? Öncelikle bu, onlara suçlu olduklarının güçlü bir hatırlatıcısıydı. Her şeyin sonunda Tanrı, onlara ölüm yargısını başka halklardan, Mısırlılar'dan daha az hak etmediklerini hatırlatmaktaydı. Onlar da bizzat günahlarından dolayı suçluydu.

Ama başka bir ders daha vardı. Bu olaylar aracılığıyla, yerlerine geçecek olan kurbanın gücü ve anlamı, zihinlerine ve yüreklerine mühürlenmiş olmalıydı. Bir kuzuyu kurban etmek temiz bir iş değildi. Her yerde kan ve iç organlar olurdu. Ailenin babası hayvanın yanında diz çöker, bir bıçakla boğazını keser ve hayvanın boğazından çıkan bir sesle sarsılarak kan kaybından ölmesini beklerdi. Bu olurken, herkesin gözü istemsizce orada bulunan küçük oğlan çocuğuna çevrilirdi ve bütün aile şunun bilincinde olurdu: Kuzu ölüyor ki, küçük Yeşu ölmesin. Kuzu, Yeşu'nun yerine ölüyordu.

Anlıyor musunuz? Tanrı, halkına oldukça doğal ve kalıcı bir şekilde, gerçeği mühürlercesine, günahlarını basitçe silmeyeceğini, *silemeyeceğini* öğretiyordu. Bunun için kan dökülmeliydi. Biri ölmeliydi çünkü günahın bedeli buydu. Dolayısıyla babanın, kanı kapı sövesine sürdüğü, Yeşu'yu kollarına aldığı ve evin kapısını arkalarından kapattığı sırada, bütün aile, suçlu olduklarını ve ölümü hak ettiklerini öğrenmekteydi. Tanrı onların canını masumiyetlerinden dolayı bağışlamıyordu. Onları bir şekilde Mısırlılar'dan daha az suçlu oldukları için de kurtarmayacaktı. Hayır, evlerinden geçecek ama onları öldürmeyecekti çünkü bir başkası onların yerine ölmüştü. Tanrı üzerlerinden elinde adalet kılıcıyla geçerken, onlar kuzunun kanına güveniyorlardı.

Bu Sefer Sadece Bir Hayvan Değil

Zaman geçtikçe Tanrı, insanların kendi kötü ve bir o kadar da ciddi olan günahlarının, bir bedel ödeyerek başka bir şeye yüklenebileceğini öğrendikleri bir sistem kurdu. Ama aynı zamanda onlara, cezaları için yerlerine ölenin her zaman hayvanlar olmayacağını da öğretmekteydi.

Bunun en önemli örneklerinden biri, aslında gözden kaçabilecek bir yerde. Ama Eski Antlaşma'nın en önemli noktalarından birisini oluşturuyor. Mısır'dan çıktıktan sonra İsrailliler, çölde dolaşarak ve ister inanın ister inanmayın, Tanrı'nın yeteri kadar (veya yeterince iyi) yiyecek ve su sağlamadığından yakınarak uzunca bir zaman harcadılar. Tanrı, her seferinde onlar için gerekeni sağladı ve onlar da her seferinde yakınıp homurdandılar. Mısır'dan Çıkış kitabının 17. bölümünde, ilk bakışta çok da şaşırtıcı olmayan bir şekilde İsrailliler yakınıyor ve Tanrı onlara su sağlıyor. Ama bu seferki durum çok önemliydi. Tanrı, halkına hiç beklemedikleri, harika bir şey öğretmek üzereydi.

O gün insanlar, Refidim denen yere gelmişlerdi ve daha önce defalarca yaptıkları gibi, Tanrı'ya onları çöle getirdiği için ve susuzluktan ölecekleri için yakarmaya başladılar. Ama Refidim'de, İsrailliler'in yakarışları doruklara ulaşmıştı. Kutsal Kitap da açıkça ortaya koyuyor ki, bu sefer kendileri Tanrı'yı denemeye kalkıyorlardı! Evet, taşlayarak öldürmek üzere oldukları kişi Musa'ydı ama Musa, Tanrı'nın sözcüsüydü. İnsanların asıl derdi Musa'yla değil, Tanrı'ylaydı. Musa onları çölde ölüme sürüklemişti ve şimdi onu cinayet işlemekle suçluyorlardı!

Kutsal Kitap, Tanrı'nın Musa'ya, insanların ona saldırmasına karşı ne yapacağını söylediğini aktarıyor. Tanrı Musa'ya, İsrail'in ihtiyarlarını yanına alıp halkı karşısında toplamasını söyledi. Bu önemliydi çünkü ihtiyarlar, aynı zamanda İsrail'in hâkimleri olarak da görev yapıyor ve suçlarla ilgili kararlar alıyorlardı. Dahası Tanrı, Musa'ya değneğini yanına almasını söylemişti. Bu önemli bir detay çünkü bu herhangi bir değnek değildi. Bu, Musa'nın Nil nehrini kana, kumu sineklere çevirirken ve Kızıl Deniz'i Mısır ordusunun üstüne yıkarken tuttuğu değnekti. Başka bir deyişle, bu, Musa'nın *yargı* için kullandığı değnekti.

Bu sahne, tam da bu yüzden, çok karanlık bir sahne olmalıydı. İnsanlar toplanmış, ihtiyarlar oraya gelmiş ve yargı değneği getirilmişti. Sanki Tanrı, isyankâr halkına şöyle demek istiyordu: "Yargı mı istiyorsunuz? Tamam, haydi bir duruşma yapalım!" Biri lanetlenmek üzereydi. Yargı dağıtılmak üzereydi.

Ama kim yargılanacaktı? Yargı Tanrı'ya değil, yakınmalarından, homurdanmalarından ve her zaman sadık olan Tanrı'ya sadakatsizliklerinden ötürü İsrail halkına verilecekti.

Yargı değneği, *onların* üstüne düşmek üzereydi. Burada yine, belki de uzun süredir Hristiyan olanların bile göremediği bir takım detaylar var. Kutsal Kitap'ın bu durumu nasıl betimlediğine bakalım:

> "Musa, 'Bu halka ne yapayım?' diye RAB'be feryat etti, 'Neredeyse beni taşlayacaklar.'
>
> RAB Musa'ya, 'Halkın önüne geç' dedi, 'Birkaç İsrail ileri gelenini ve Nil'e vurduğun değneği de yanına alıp yürü. Ben Horev Dağı'nda bir kayanın üzerinde, senin önünde duracağım. Kayaya vuracaksın, halk içsin diye su fışkıracak.' Musa İsrail ileri gelenlerinin önünde denileni yaptı."[82]

Görüyor musunuz? Tam paragrafın ortasında. Yargı değneğinin nereye düştüğünü görüyor musunuz? Bir kayanın üzerine, evet, ama kayanın üstünde kim var? Tanrı. Tanrı şunları söylüyor: "...kayanın üzerinde, senin önünde duracağım" ve "kayaya vuracaksın." Başka bir deyişle, insanların homurdanmaları ve imansızlıklarının cezası olarak, adil bir şekilde üzerlerine düşmesi gereken yargı değneğiyle Tanrı, "*bana* vuracaksın" diyordu. Musa da öyle yaptı. Peki, sonuç neydi? Ne olmuştu? Adeta yaşam fışkırmıştı ve vurulan kayadan bir pınar gibi su akıyordu!

Bu, suçların başkası tarafından üstlenilmesi kavramını, yepyeni bir seviyeye taşımaktaydı. Bu sefer sadece bir hayvan değildi. Tanrı'nın ta kendisi, halkının hak ettiği yargı ve laneti kendi üzerine almıştı! Bundan dolayı da ölmeyecek, yaşayacaklardı.

---

82 Çıkış 17:4-6

Yüce Kral ve Acı Çeken Kul

Tanrı yüzyıllar boyunca, Yeşaya peygamberin zamanına dek insanlara yerine geçme (günahı yüklenme) kavramını öğretmiştir ve Yeşaya peygamber Eski Antlaşma'daki diğer peygamberlere kıyasla bu konuya yoğun bir şekilde değinmiş ve hikâyeyi birbirine bağlamıştır. Daha önce gördüğümüz üzere Yeşaya, gelip mükemmel bir adaletle hüküm sürecek ve halkı zulümden kurtaracak olan bir ilahi Kral'la ilgili peygamberlik etmişti.[83] Bu bile tek başına ihtişamını ortaya koymaya yeterdi ancak Yeşaya aynı zamanda bu ilahi Kral'ın –adı "Güçlü Tanrı" olanın– bir Acı Çeken Kul rolünü üstleneceğini ve insanların günahları için, onların yerine, hak ettikleri ölüm cezasını üstüne alacağını söylüyordu.

Yeşaya, bu ilahi ve hükümdar olan Acı Çeken Kul'un yapacaklarını şöyle anlatıyor:
"Aslında hastalıklarımızı o üstlendi,
Acılarımızı o yüklendi.
Bizse Tanrı tarafından cezalandırıldığını,
Vurulup ezildiğini sandık.
Oysa, bizim isyanlarımız yüzünden onun bedeni deşildi,
Bizim suçlarımız yüzünden o eziyet çekti.
Esenliğimiz için gerekli olan ceza
Ona verildi.
Bizler onun yaralarıyla şifa bulduk.
Hepimiz koyun gibi yoldan sapmıştık,
Her birimiz kendi yoluna döndü.
Yine de RAB hepimizin cezasını ona yükledi...
Canını feda ettiği için

---

83 Yeşaya 9:6-7

Gördükleriyle hoşnut olacak.

Doğru kulum, kendisini kabul eden birçoklarını akla-
yacak.

Çünkü onların suçlarını o üstlendi."[84]

Yeşaya'nın burada ne dediğini anlıyor musunuz? O, yüce
Kral'ın sadece bir doğruluk krallığı inşa etmeyeceğini söy-
lüyor. Acı Çeken Kul olarak, aynı zamanda insanların ölüm
cezasını bizzat üstlenecek ve ortadan kaldıracaktı. O, karşı-
larında duran laneti alacak ve onlara kendisiyle birlikte son-
suza kadar inşa edeceği krallıkta yaşama hakkı verecekti.

Neden Geldiğini Biliyordu

O gün haykırıp, "İşte, dünyanın günahını ortadan kaldı-
ran Tanrı Kuzusu!" dediğinde, Vaftizci Yahya'nın aklında
tamamıyla bunlar vardı.[85] Yahya, uzun süredir anlatıldığı
üzere, halkı yerine ölecek son kurbanın, halkının suçları için
eziyet çekecek olan Acı Çeken Kul'un İsa olduğunu anlamıştı.

Gördüğümüz üzere, İsa kendi günahlarından tövbe etmek
için vaftiz olmamıştı. O'nun vaftizinin amacı, kurtarmak için
geldiği günahkâr insanlarla Tanrı'nın Oğlu, Temsilci, Kral,
Kahraman ve RAB'bin Acı Çeken Kulu olarak özdeşleşmek ve
onlarla bir olmaktı. Bu yüzden gökten gelen sesin son kısmı
şuydu: "Sevgili oğlum budur, O'ndan hoşnudum."[86] "Ondan
hoşnudum" sözü, aslında Yeşaya kitabında Tanrı'nın Acı Çe-
ken Kul ile ilgili olarak kullandığı sözlerin kasten tekrar edil-
mesi, bir yansımasıdır.

---

84 Yeşaya 53:4-6, 11
85 Yuhanna 1:29
86 Matta 3:17

Umarım ki şimdi, Şeria Irmağı kıyısında gerçekleşen şeylerin ne kadar sıra dışı şeyler olduğunu görüyorsunuzdur. Bu vaftiz ve gökten gelen sözler aracılığıyla İsa, almak için geldiği, Tanrı'nın başlangıçtan beri O'nun için belirlediği göreve tam anlamıyla geliyordu. Hatta gökten gelen bu sözler aracılığıyla Tanrı'nın İsa'ya üç taç giydirdiğini söyleyebiliriz: Tanrı'nın Oğlu olarak cennet tacı, uzun yıllardır beklenen Kral olarak İsrail'in tacı ve halkı yerine ölecek olan Acı Çeken Kul olarak dikenden taç.

Bunların hiçbiri İsa için sürpriz değildi. O, neden geldiğini biliyordu. İnsanları günahlarından kurtarmak için ne yapması gerekeceğini biliyordu. Halkı için, Tanrı'nın gazabını üzerine alması gerekecekti. "Nitekim İnsanoğlu, hizmet edilmeye değil, hizmet etmeye ve canını birçokları için fidye olarak vermeye geldi" derken, O tam da bunu kastediyordu.[87] İşte bu yüzden İsa, öğrencilerine ölmeden önceki son yemeklerinde şarap uzatıp şunu söyler: "Çünkü bu benim kanımdır, günahların bağışlanması için birçokları uğruna akıtılan antlaşma kanıdır."[88] Bu cümlelerin dili sembolikti ancak arkasında yatan gerçek, dünyayı derinden sarsacak güçteydi. İsa ölmek üzereydi. Tanrı'nın ebedi Oğlu, beklenen Kral, düşmüş kılıcı yerden alıp insanların kaybettiği savaşı kazanmıştı. Şimdi, onların günahlarının cezasını ödeyecekti. Acı Çeken Kul, halkının günahları için, onların yerine, onları Tanrı önünde doğru kılmak için ölmek üzereydi.

Başka Yolu Yok

Ölmeden önceki gece İsa, öğrencileriyle birlikte son bir akşam yemeği yedi ve sonradan da anlaşıldığı gibi bu, taşla-

---

87 Matta 20:28
88 Matta 26:27-28

rın yerine oturduğu, her şeyin açıklandığı bir zaman olacaktı. Her yıl Yahudiler, Fısıh Bayramı'nı birlikte yemek yiyerek kutlarlar. Bu yemeğin amacı, Mısır'daki kölelikten, Tanrı'nın yüce kurtarışıyla kurtuldukları zamanı hatırlamaktır. Yani İsa'yla öğrencileri de yemek yerken, aynı şekilde harika bir kurtuluşu kutlamaktaydılar. Ama İsa'nın bir başka niyeti daha vardı. Yemeklerini yerlerken İsa, yaklaşmakta olan çok daha büyük bir kurtuluşu, sadece fiziksel bir kölelik ve ölümden değil, bunun çok ötesinde, *ruhsal* bir ölümden ve kölelikten kurtuluşu anlatmaya başladı. Mısır'dan çıktıkları zaman gördükleri sevgiden çok daha büyük bir sevgi görmek üzereydiler. İsa son akşam yemeğinde şöyle demişti:

> "Yemek sırasında İsa eline ekmek aldı, şükredip ekmeği böldü ve öğrencilerine verdi. 'Alın, yiyin' dedi, 'Bu benim bedenimdir.' Sonra bir kâse alıp şükretti ve bunu öğrencilerine vererek, 'Hepiniz bundan için' dedi. 'Çünkü bu benim kanımdır, günahların bağışlanması için birçokları uğruna akıtılan antlaşma kanıdır.'"[89]

Öğrencilerine olan sevgisi İsa'yı bu noktaya getirmişti. Onların kurtulması için, kendi kanı dökülecekti. Onların sonsuz yaşama kavuşması ve günahlarının, imansızlıklarının ve Tanrı'ya isyanlarının bağışlanması için İsa'nın ölmesi gerekiyordu.

Bundan sonra gelen kısım, Kutsal Kitap'ta adım atmaktan neredeyse korktuğumuz yerlerden biridir. Hepimize yürekten dokunan, acı dolu bir andır. Yemekten sonra İsa, öğrencilerini Getsemani Bahçesi denen yere götürür. Olacakları bilen İsa dua etmek için uzaklaşır. İsa'nın bahçedeki duası,

---

89 Matta 26:26-28

Tanrı Kuzusu, İnsanlık İçin Kurban

oldukça acı vericidir. Ama bu, aynı zamanda çarmıha katlanmasını sağlayan sevgiyi de bize gösterir nitelikte. İsa duasında şöyle diyor:

"'Baba' dedi, 'Mümkünse bu kâse benden uzaklaştırılsın. Yine de benim değil, senin istediğin olsun.'"[90]

Gördüğünüz gibi, Tanrı'nın gazabını simgeleyen ve İsa'nın içmek üzere olduğu kâsenin ondan uzaklaşmasının aslında bir yolu vardı. İsa'nın kâseden *hiç içmeyebileceği* bir seçenek vardı ve bu da, biz günahkârların yargılanıp sonsuza kadar ölüm cezasına terk edilmesiydi. İsa'nın, emrimde on iki tümen melek var derken kastettiği şey budur. İsa'yı derhal gökteki görkemine geri götürebilecek, O'nu kusursuz adil ve doğru olan Tanrı Oğlu olarak sonsuzlarca övecek milyarlarca melek, O'nun iki dudağının arasından çıkacak *tek bir söze* bakmaktaydı. Ama İsa onları çağırmadı. Onları cennetin sınırlarında tuttu çünkü kendisi ve Babası, düşmüş insanlığı kurtarmakta kararlıydı. Bunu yapmak için tek yol vardı. İsa, Tanrı'nın gazap kâsesinden içmek zorundaydı. İsa'nın, bahçede Baba'ya sorduğu soru buydu: "Baba, bu insanları kurtarmanın başka bir yolu var mı? Ben ölüm yargısına uğramadan ve senden ayrı düşmeden, bu insanların kurtulmasının başka bir yolu var mı?" Cevap, sessiz ama çarpıcı şekilde gelir: "Hayır, başka yolu yok."

Neden? Çünkü Tanrı, günahı hasıraltı edemezdi. Görmezden gelemezdi, olmamış gibi davranamaz ve öylece affedemezdi. Günahla adil, doğru ve kutsal bir şekilde mücadele etmeliydi. Sonuçta hatırlayalım, Mezmur yazarı O'nun için, "Tahtın adalet ve doğruluk üzerine kurulu, sevgi ve sadakat önün sıra gider" demiştir.[91] Evet, İsa bu yüzden, bizi sevdiği için kâseden içmiştir ama aynı zamanda Baba Tanrı'yı da

---

91 Mezmur 89:14; 97:2

sevdiği için, O'nun yüceliğinin azalmasına izin veremezdi. Biz kurtarılırken, Tanrı yüceltilecekti. Ama yalnızca ve yalnızca, Kral İsa'nın ölmesi şartıyla.

Çarmıhta Ölürken

Romalılar'ın çarmıha germe cezası, tarihin her döneminde en aşağılayıcı, dehşet verici ve iğrenç idam cezalarından biri olarak kalacaktır. O kadar kötüydü ki, Romalılar ve Grekler nezaketten ötürü toplum içinde çarmıh kelimesini kullanmazdı. Kelimenin kendisi bile hakaret içeren bir söylemken, bu yolla ölmek çok daha hakaret içeren ve nefret edilesi bir şeydi.

Roma zamanında çarmıhla idamlar halka kapalı değildi. Tamamen açık, halkın gözü önünde yapılırdı. Çünkü amaç, kalabalıkların korkmasını ve yetkililere itaat etmelerini sağlamaktı. Romalılar, çarmıhların ana yolların kenarlarında olmasına, ölmekte olanların yaralı ve kemikleri kırık bedenlerinin ve ölenlerin çürümüş cesetlerinin geçen herkesçe görülebilmesine dikkat ederdi. Hatta mümkün olan en büyük kalabalığın katılabilmesi ve dehşete kapılması için, büyük çarmıh idamları düzenler ve bunları bayram ve kutlamalara rast getirirlerdi. İmparatorluğun her tarafında, halka tamamen açık şekilde binlerce katil, hırsız, vatan haini ve özellikle de köle, çarmıha gerilerek idam ediliyordu. Çarmıh dehşeti, Roma dönemindeki günlük hayatın kaçınılmaz bir parçasıydı ve Romalı yetkililerin niyeti de durumun bu şekilde olması yönündeydi.

Çarmıhla idamların sayısı ve sıklığı göz önünde bulundurulduğunda, bunlar hakkındaki tarihi kaynakların nadir olması şaşırtıcıdır. Ama düşündüğünüzde, kimse böyle bir sahneyle ilgili yazmak istemezdi. Neden yazmak istesinler ki? Çarmıh, yönetim tarafından verilen, hatta *teşvik edilen* bir yöntemdi ve cellatlara en sadist, korkunç ve şiddetli şekilde yaratıcı fantezilerle ceza verme imkânı sağlıyordu. Belki de bu yüzden, elimizdeki çarmıh kayıtları genellikle kısadır. Çoğu zaman yazarlar, yaşanan korkuyu daha hafif aktarır ve detaylara girmez. Sanki bizlere, "bilmek istemezsiniz" demektedirler.

Merhametsiz ağaç üzerinde asılan parçalanmış beden, kemiklerin ve parçalanmış sinirlerin içinden geçen demir çiviler, bedenin kendi ağırlığından ötürü yuvalarından çıkmış eklemler ve de aile, dostlar ve dünyanın gözü önünde yaşanan ulu orta aşağılanma. İşte çarmıhtaki ölüm buydu. Romalılar'ın deyişiyle *maxima mala crux*, yani "çorak ağaç" veya Grekler'in söyleyişiyle *stauros* üzerinde ölmek işte böyle bir şeydi. Gerçekten de insanların bu konuda yazmamasına şaşırmamalı. Annelerin, çocuklarının gözlerini kapatmalarına da kimse şaşırmasa gerek. *Stauros*, tiksindirici bir şeydi. Üzerinde ölen adi suçlular da, orada asılı bir şekilde çürüyüp kokuşan, diğer insanlara ibret olacak olan bir şeyden fazlası değildi.

İsa böyle ölmüştü.

Ama bu çarmıh ölümü, daha önce görülmüş olanlardan çok daha farklıydı. Her şey, *bu* çarmıhta asılı olan adamın sıradan biri olmadığını söylüyordu. Burada sıra dışı bir şey olmaktaydı.

Öncelikle, İsa'nın nasıl davrandığı, etrafındakilere neler söylediği önemlidir. Romalılar tarafından çarmıha gerilen çoğu suçlu, son saatlerini merhamet için yalvararak, askerlere ve izleyen insanlara küfürler ederek veya acı içinde kıvranarak geçirirdi. İsa böyle yapmadı. Çarmıhta asılıyken, Yahudi önderlerin küfürlerine, etraftaki insanların aşağılamalarına ve Romalı askerlerin soğuk ve kötü niyetli kayıtsızlığına rağmen, İsa'nın O'nu öldürmekte olanlar için sevgi dolu olduğu görülüyordu. Yanında çarmıha gerilmekte olan bir adam İsa'nın kim olduğunu anladığında, İsa ona, "Sana doğrusunu söyleyeyim, sen bugün benimle birlikte cennette olacaksın" dedi.[92] Askerler O'nun eşyalarını paylaşmak için çarmıhın dibinde kura çekerken, O, göklere bakıp şöyle dua etti: "Baba, onları bağışla. Çünkü ne yaptıklarını bilmiyorlar."[93] Şaşırtıcı bir şekilde İsa, orada asılı bir şekilde ölürken bile çevresindeki insanları seviyor, kurtarıyor ve onlara umut veriyordu.

Diğer bir yandan da, bütün bu *sonu gelmez* aşağılanmalara katlanması vardı. Romalılar daha kamçılama sırasında O'nu aşağılamaya başlamışlardı. İsa'yı mor bir kumaşla giydirdiler, eline bir asayı simgeler şekilde değnek verdiler ve dikenden bir tacı başına bastırarak giydirdiler. Sonra gülerek ve haykırarak önünde eğilip, "Selam, ey Yahudiler'in Kralı!" dediler. Bunun amacı, bütün Yahudi ulusunu İsa aracılığıyla aşağılamaktı ama buna rağmen Yahudiler, İsa çarmıhtayken bu aşağılamaya ortak oldular.

Aralarından biri, "Haydi, kurtar kendini! Tanrı'nın Oğlu'ysan çarmıhtan in!" dedi. Bir başkasıysa şöyle dedi: "Başkalarını kurtardı, kendini kurtaramıyor." Bunlar olurken İsa, hiçbir şey demedi. Ama gariptir ki o an için, söylenenler *doğruydu*. O, acıya sadece katlandı.[94]

Bir diğer nokta da, çöken karanlıktı. İncil yazarları bize, altıncı saatten dokuzuncu saate kadar (bu, öğlenden akşamüstü saat üçe kadar geçen bir zaman demektir), Yeruşalim'in koyu bir karanlıkla kaplandığını aktarır. Tarih boyunca bu karanlığın ne olduğunu açıklamak için çok mürekkep

92 Lukas 23:43
93 Lukas 23:34
94 Matta 27:29, 40, 42

harcanmıştır. Belki de bu bir güneş tutulması, bir kum fırtınası veya bir volkandı. Ama bunu bizzat gören insanlar, bunun Tanrı'nın işi olduğunu söylemektedirler. Luka şöyle diyor: "Öğleyin on iki sularında güneş karardı, üçe kadar bütün ülkenin üzerine karanlık çöktü."[95]

Aslında, o gün yeryüzüne düşen bu karanlık, çarmıhta İsa'ya olanların derin bir sembolüydü. Kutsal Kitap'ta defalarca gördüğümüz gibi, Tanrı'nın yargısı yine *karanlık* aracılığıyla gösterilmişti. Bu, ölüm ve mezarın karanlığıydı. Orada, Golgota'da, yargının karanlığı Tanrı'nın Oğlu İsa'yı, Acı Çeken Kul'u sarmıştı.

Karanlık kalktığında, Matta bize İsa'nın şöyle haykırdığını anlatıyor: "Eli, Eli, lema şevaktani?" Yani Aramice olarak, "Tanrım, Tanrım, beni neden terk ettin?" demişti.[96] Bu aslında, Mezmur 22'den bir alıntıydı. Kral Davut bunu, İsrail'in yerine sembolik olarak kendisinin nasıl acı çektiğini anlatmak için yazmıştı. Ama İsa bunun aracılığıyla ne demek istiyordu? O anda yargının karanlığı altında İsa, halkının hak ettiği cezayı yüklenerek, yani Tanrı tarafından terk edilip kovularak, halkını temsil ediyordu. Anlıyor musunuz? Çarmıha geriliyken, Tanrı'nın halkının bütün günahları O'nun üzerindeydi ve İsa onlar için öldü. Onların yerine. Kahramanları olarak. Onların yerine geçen Kurban olarak. Kralları olarak.

Bu şekilde, Aden Bahçesi'ndeki ölüm yargısı yerini bulmuş oldu. Lanet, vereceği zararı vermişti. İsa, Tanrı'nın Oğlu, halkının günahları yüzünden Babası tarafından terk edilmişti ve "Tamamlandı!" diye haykırarak öldü.[97]

---

95 Lukas 23:45
96 Yuhanna 19:3
97 Yuhanna 19:3

Bundan sonra olan şeyse, her yönüyle güzeldi. Matta, bizlere tapınaktaki perdenin (tapınağın En Kutsal Yer denen kısmını, insanların bulunduğu kısımdan ayıran yaklaşık on sekiz metrelik dokuma perdenin) baştan sona yırtılıp iki parçaya ayrıldığını anlatıyor.[98] Bunun aracılığıyla Tanrı, insanlığa artık kendi huzurundan sürgün edilişlerinin, şimdi ve sonsuza dek bittiğini işaret ediyordu. Adem ve Havva'nın geri dönüp yaşlı gözlerle baktıkları Aden'den sürgünlerinden binlerce yıl sonra, artık insanlık En Kutsal Yer'e, Tanrı'nın huzuruna girebilirlerdi.

Acı Çeken Kul, kralların Kralı, insanlığın Kurtarıcısı eserini tamamlamıştı. Yaşamı aracılığıyla, doğruluğun gerektirdiği her şeyi yapmıştı. Kanı aracılığıyla, halkının günahları için hak ettiği cezanın bedelini ödemişti. Şeytan'ın zaferini tersine çevirdi. Kurtuluşu şimdi ve sonsuza dek kazandı!

Şimdiyse, ölüydü.

---

98 Matta 27:51

8

Dirilmiş ve Hükmeden Rab

İsa'yla birlikte çarmıha gerilen iki suçlu hala canlıydı ve o Cuma gününde, saat artık geç olmaktaydı. Başka bir şehirde olsaydı, Romalılar muhtemelen onları gece boyunca asılı bırakır, hatta hemen ölmemeleri ve daha çok acı çekmeleri için su ve yiyecek verirlerdi. Ancak bu sefer, Yeruşalim'de, böyle yapmamaya karar verdiler. Romalılar fethettikleri halkları sıkı bir kontrol altında tutsalar da, genellikle insanların dini geleneklerine saygılı davranırlardı. Yahudilere de bu şekilde davranılırdı. Onların haftalık dinlenme günü olan Şabat'a, yani Cuma gün batımından Cumartesi gün batımına kadar olan süreye saygı duyulurdu. Bu yüzden de Yahudi yetkililer, cesetlerin Şabat boyunca çarmıhlarda durmaması için Roma valisine istekte bulunduğunda, vali bunu kabul etti.

Bunun anlamı, çarmıhtaki üç adamın hızlı bir şekilde ölmesi gerektiğiydi. Bu nedenle askerlere, *crurifragium* denen şeyi yapmaları emredildi. Yapacakları şey aslında soğuk bir merhamet gibiydi. Askerlerden biri İsa'nın yanındaki adama geldi ve elindeki mızrağı bacaklarına doğru savurarak incik kemiği hizasından kesti. Bunu yaptıklarında adam çığlık atar ama en azından acı çok daha çabuk bir şekilde biterdi. Kendini nefes almak için zorlayamaz ve birkaç dakika içinde ölürdü. Aynı işlem diğer adama da yapıldı. Ama sıra İsa'ya geldiğinde askerler, O'nun zaten ölmüş olduğunu fark ettiler. Bu onları şaşırtmıştı. Genellikle çarmıhtaki insanlar bu kadar çabuk ölmezdi. Emin olmak için, askerlerden biri, mızrağını derin bir şekilde İsa'nın böğrüne sapladı. Mızrağını çektiğinde birbirinden ayrılmış şekilde kan ve su döküldü. Bu, şüpheye yer bırakmayan şekilde ölümün kanıtıydı.

İsa'nın bazı takipçileri ve annesi, bu olanları Golgota'da bizzat izliyorlardı. Onlar, askerlerin İsa'nın bileklerine çiviyi, ayaklarınaysa demiri nasıl bir kazık gibi çaktıklarını gördüler. Çarmıhın havaya dikildiğini gördüler. Öğle güneşinin karardığını gördüler. İsa'nın, Tanrı'nın terk edişini yaşarken nasıl haykırdığını gördüler. Haykırarak görevinin tamamlandığını söylediğini gördüler. Öne doğru sarkıp öldüğünü de gördüler. Şimdi, O'nun bedenini alıp götürme görevi onlara düşüyordu. Romalılar, bunu onlar için yapmazdı.

İsa'nın takipçilerinden biri, Aramatyalı Yusuf adında varlıklı bir adam, bu ana kadar İsa'ya imanını saklı tutmuştu ama her nedense, o an bunu göstermeye karar verdi. Bu kişi, valiye gidip İsa'nın bedeniyle ilgili işlemleri yapmak için izin istedi. Yusuf'un yakınlardaki bir bahçede bir mezarı vardı ve İsa'nın bedenini oraya koymak istiyordu. Vali Pilatus'un izniyle Yusuf ve İsa'nın öğrencilerinden bazıları, bu üzücü işe, İsa'nın bedeninin defnedilmesi işine başladılar. Çarmıh indirildi, demir çiviler ve kazık, ayak ve el bileklerinden söküldü, başına koydukları dikenden taç bir kenara atıldı. Bir yazarın bize aktardığına göre, sonrasında bu adamlar, yaklaşık otuz dört kilo baharat ve yağla bedeni kaplamaya başladılar.[99]

---

99 Yuhanna 19:38-42

Güneş batıyordu ve işi zamanında bitirememişlerdi. Şabat bitiminde, Pazar sabahı geri gelmek zorunda kalacaklardı. O an için İsa'nın bedenini kumaşlara sardılar ve O'nu mezar odasına taşıyıp oraya yatırdılar. Sonrasında mezarı mühürlemek amacıyla büyük bir taşı mezar girişine yuvarlayarak, mezarı kapattılar ve evlerine gittiler.

Sıklıkla merak etmişimdir. Acaba o Cumartesi günü, hayatlarının son üç senesini diğer her şeyi bırakıp İsa'yı izlemekle geçirmiş bu insanlar için ne anlama geliyordu? Büyük ihtimalle geçen birkaç gün içerisinde neler olduğunun ve kendi düşüncelerinin bir muhasebesini yapmışlardı. Bütün o vaatler, mucizeler, peygamberlikler, iddialar... Şimdi hepsi bitmişti. Eminim kafalarında çokça soru vardı. Ama diğer herkes gibi onların da bildiği şey, İsa'nın ölmüş olduğuydu. Yahudi önderler bir sorundan kurtulmuş, Romalılar da O'ndan ibretlik bir gösteri çıkarmıştı. Onların umutları, tamamıyla İsa'ya, Mesih ve Tanrı'nın yaşayan Oğlu olduğuna inandıkları bu adama bağlı olan umutları, O'nunla birlikte ölmüştü.

Dolayısıyla merak ediyorum, acaba o Cumartesi günü nasıl bir gündü? Kutsal Kitap bize öğrencilerin İsa tutuklandıktan sonra dağıldıklarını ve görünüşe göre çoğunun saklanmaya gittiğini anlatır. Hatta bildiğimiz kadarıyla, onların sadece küçük bir kısmı İsa çarmıha gerildiğinde orada bulunuyordu. Sonuçta onlar, bu "sahte Mesih"in takipçileri oldukları için yetkililer onları da bulup öldürebilirlerdi. Bu yüzden, Roma'nın gazabından korunmak için kendi evlerinde ve arkadaşlarının evlerinde saklandılar ve muhtemelen ağladılar. Bütün umutlarınız ve inandığınız şeyler uçup bir anda havaya karıştığında, başka ne yapabilirsiniz ki?

İsa, "Tanrı Oğlu." "Mesih." "İsrail'in Kralı." "Davut'un Va-
risi." "Son Adem." "Acı Çeken Kul."
Hepsi bir yanılgıdan ibaretti.
Çıplak gerçek şu şekildeydi:
İsa bir marangozdu.
Nasıralı'ydı.
Onların arkadaşıydı.
Şimdiyse, ölmüştü.

Meryem ve yanındaki diğer kadınların da, o Pazar saba-
hı mezara giderken düşündükleri şeyler bunlar olmalıydı.
Onlar oraya, acaba İsa o cüretkâr diriliş sözünü tuttu mu
diye düşünerek gitmiyorlardı. Bu noktada, İsa'nın daha önce
böyle bir şey söylediğini bile hatırlamıyorlardı. Hayır, onlar
İsa'nın defin işlemlerini tamamlamaya gidiyorlardı. Çünkü
Cuma günü, yeterince zamanları olmamıştı. O yüzden şimdi,
ilk fırsatta, çarmıha gerilmiş iki günlük cesedi yağlayıp ko-
kularla kaplamaya gidiyorlardı.

O sabah karşılaşmayı bekledikleri sahne bu üzücü, tüyler
ürperten ve sevimsiz sahneydi. Ama gördükleri bu değildi.

Hatta mezara geldiklerinde gördükleri şey onları şoke et-
miş ve dünya tarihini değiştirmiştir. Markos şöyle aktarıyor:

> "Şabat Günü geçince, Mecdelli Meryem, Yakup'un annesi
> Meryem ve Salome gidip İsa'nın cesedine sürmek üzere
> baharat satın aldılar. Haftanın ilk günü sabah çok erken-
> den, güneşin doğuşuyla birlikte mezara gittiler. Arala-
> rında, 'Mezarın girişindeki taşı bizim için kim yana
> yuvarlayacak?' diye konuşuyorlardı. Başlarını kaldırıp
> bakınca, o kocaman taşın yana yuvarlanmış olduğunu
> gördüler. Mezara girip sağ tarafta, beyaz kaftan giyin-
> miş genç bir adamın oturduğunu görünce çok şaşırdı-

lar. Adam onlara, 'Şaşırmayın!' dedi. 'Çarmıha gerilen Nasıralı İsa'yı arıyorsunuz. O dirildi, burada yok. İşte O'nu yatırdıkları yer. Şimdi öğrencilerine ve Petrus'a gidip şöyle deyin: 'İsa sizden önce Celile'ye gidiyor. Size bildirdiği gibi, kendisini orada göreceksiniz.'"[100]

Gerçeğin su yüzüne çıkması biraz zaman aldı. Sonuçta, İsa'yı gerçekten görmemişlerdi. Sadece beyaz giyinen bu "genç adam" –bir melek– onlara İsa'nın dirildiğini söylüyordu. Kadın çabucak haber vermek üzere öğrencilere koştu ve onlar da mezara geldiler. İsa'nın sarıldığı bezleri katlanıp düzgünce kenara konmuş bir şekilde gördüler. Sonrasında evlerine gittiler, şaşkınlık ve merak içerisindeydiler; aynı zamanda umut ediyorlardı.

Uzun zamandır İsa'yı takip eden Mecdelli Meryem adındaki bu kadın, dirilmiş İsa'yı gören ilk kişi olacaktı. Öğrenciler mezardan ayrıldıktan sonra Meryem, mezarda kalıp ağlamaya devam etti. Boş olan mezara tekrardan bakmak için öne doğru eğildiğinde, İsa'nın bedeninin yattığı yerde iki tane meleğin oturduğunu görünce birden irkildi. Melekler ona, "Kadın, niçin ağlıyorsun?" diye sordular.

Meryem, "Rabbim'i almışlar" dedi. "O'nu nereye koyduklarını bilmiyorum."[101] Şimdi bir saniyeliğine durup bunu anlamaya çalışalım. Mezarın kapısındaki taş açılmıştı. İki melek, İsa'nın orada, ölüler arasında olmadığını söylüyordu. İsa'nın en yakın takipçileri dahi, dirildiğine hemen inanmamıştı. Takipçiler, zaman zaman betimlendikleri gibi her şeye inanan, saf karakterler olmaktan çok uzaklardı. Melek karşısında ağlarken bile, Mecdelli Meryem *fikrini*, yani birinin İsa'nın

100 Markos 16:1-7
101 Yuhanna 20:13

bedenini oradan almış olduğu fikrini söylemekten geri kalmamıştı!

Bu noktada Elçi Yuhanna bize, İsa'nın Mecdelli Meryem'in arkasında belirdiğini aktarıyor. Yani konuştuğunun İsa olduğunu bilmiyordu. Belki de O'nun bir bahçıvan veya bir başkası olduğunu düşünmüştü. İsa, "Kadın, niçin ağlıyorsun?" dedi. "Kimi arıyorsun?" Meryem O'nu bahçıvan sanarak, "Efendim" dedi, "Eğer O'nu sen götürdünse, nereye koyduğunu söyle de gidip O'nu alayım."[102] Belki de bahçıvanın İsa'yı aldığını ve başka bir yere taşıdığını düşünmüştü. İsa bu soruya cevap vermedi.

Meryem'in, O'nun kim olduğunu öğrenme zamanı gelmişti.

Bu nedenle, "İsa ona, 'Meryem!' dedi." Sadece ismini söylemişti ama bunu daha önce hep söylediği şekilde, tüm o sevgisi, şefkati ve gücüyle söylemişti. Sonrasında Meryem anladı ve döndü. "İsa'ya İbranice, 'Rabbuni!' dedi. Rabbuni, öğretmenim demektir."[103] Bu, İsa'ydı! Her şeyin sonunda, çarmıha gerilmiş İsa, orada ve tekrar hayattaydı!

Takip eden kırk gün boyunca İsa, defalarca öğrencilerinin yanına geldi ve onlara göründü. Bazen kalabalık, bazen daha küçük gruplar halinde O'nu gördüler. Onlarla hem topluca hem de bazen birebir olarak konuştu. Onlara öğretti ve tüm bu olanların ne kadar önemli olduğunu onlara anlattı. *Gerçekten orada olduğunu* anlamalarına yardımcı oldu! Bir tür hayalet olup olmadığını merak ettiklerinde, balık yedi. Petrus, O'nu inkâr etmenin ağırlığı altında ezilirken, İsa onu affetti. Öğrencilerden biri olan Tomas, İsa'nın ellerindeki deliklere ve vücudundaki yaraya dokunmadan asla inanmayacağını

---

102 Yuhanna 20:15
103 Yuhanna 20:16

söylemişti. Bundan bir hafta sonra, hep beraber bir evdey-
ken ve kapı kilitliyken, İsa yanlarına geldi. Hayır, kapıyı ça-
lıp da içeri girmemişti. Orada bulunanların belirttiğine göre,
O yalnızca *gelmişti* ve oradaydı! İsa hemen Tomas'a dönüp,
"parmağını uzat" dedi, "ellerime bak, elini uzat, böğrüme
koy. İmansız olma, imanlı ol!" Tomas çok şaşırmıştı. Hemen
olup biteni anladı ve "Rabbim ve Tanrım!" diye yanıtladı.[104]

Anlamamız gereken nokta şu ki, karşılarında duran bu
adam aslında çarmıhta tam ölmemiş, hayatta kalmış veya
bir başkası tarafından *hayata döndürülmüş* bir kişi değildi.
Hatta dul kadının oğlu veya Lazar gibi, ölümden geri çağrılıp
diriltilmiş de değildi. Yaraları hala yerindeydi ama iyileşme-
si veya tedavi edilmesi gerekmemişti. Yaralar, ölümün O'nu
bir anlığına nasıl ele geçirdiğinin ve İsa'nınsa ölümü nasıl
yendiğinin muhteşem bir kanıtı olarak öğrencilerin gözleri
önünde durmaktaydı. Öğrenciler için bu, her şeyin değişmesi
demekti. Çaresizliğin yerini galibiyet almıştı. Ölümün yerini
yaşam, mahkûmiyetin yerini kurtuluş ve aşağılayıcı yenilgi-
nin yerini de harika bir zafer almıştı.

İsa hayattaydı.

İsa'nın Dirilişi:
Dayanak, Temel ve Kilit Taşı

İsa'nın dirilişi, yüzyıllar boyunca büyük tartışmalara
konu olmuştur. Bu tartışmaların sebebi ve bunları hâlâ de-
vam ettiren soruysa şudur: Bunlar gerçekten oldu mu? Bu
sorunun cevabının taşıdığı önem, konunun bu kadar tartışıl-
masını da gayet anlaşılabilir kılmaktadır. Şimdi bir düşüne-
lim. Eğer İsa çarmıhta öldükten sonra dirildiyse, nefes kesici
bir olay gerçekleşmiş demektir ve buna göre bizler de, O'na

---

104 Yuhanna 20:27-28

kulak versek iyi ederiz. Nitekim kendisinin gerçekten Tanrı Oğlu, krallar Kralı, yaşamın Rab'bi, Acı Çeken Kul ve Üçlü-birlik'in ikinci kişisi olduğu ilan edilmiş demektir. Öte yandan, eğer ölümden dirilmediyse, o zaman boş verin. Her şey sona erdi. Bu konu, hiçbir zaman insanlık tarihinde bu kadar büyük bir mesele haline gelmemeliydi, İsa da diğer binlerce birinci yüzyıl Yahudi din adamından sadece biriydi. Büyük iddiaları vardı ve öldü. Nokta.

Şimdi neden Hristiyanların bu konuyu büyük bir mesele haline getirdiğini anlıyor musunuz? Diriliş, bütün Hristiyanlığın dayanağıdır. Bu, her şeyin üstüne kurulduğu temeldir ve her şeyi ayakta tutan bir kilit taşıdır. Bu da –ki bu nokta *çok önemli*– demek oluyor ki, Hristiyanlar, İsa'nın öldüğünü ve dirildiğini söylediklerinde, aslında *dini* değil, *tarihi* bir iddiada bulunuyorlar. Elbette bu iddianın dini bir yönü de vardır. Öyle demek istiyorsanız diyebilirsiniz. Ancak bu iddiaların hiçbiri, eğer İsa gerçekten tarihi anlamda ölümden dirilmediyse, geçerli değildir.

Erken dönemdeki Hristiyanlar bile bunu anlamıştı. Onlar, hoş bir dini hikâye uydurup insanlara teşvik olmak, hayatlarını güzelleştirmek veya hayatın fırtınalı yollarında onları çaresizlikten çıkaracak mecazi bir umut ortaya koymaya çalışmıyorlardı. Hayır, erken dönemdeki Hristiyanlar, İsa'nın gerçekten ölümden dirilip mezardan çıktığına inandıklarını, dünyanın bilmesini istiyorlardı. Ama onlar, eğer durum böyle değilse, yani İsa ölümden dirilmediyse, inandıkları her şeyin kelimenin tam anlamıyla boş, sahte ve değersiz olacağının da farkındaydılar.

Pavlus'un bir mektubunda dediği gibi: "Mesih dirilmemişse, bildirimiz de imanınız da boştur... Ama ölüler gerçekten dirilmezse, Tanrı Mesih'i de diriltmemiştir. Ölüler dirilmezse, Mesih de dirilmemiştir. Mesih dirilmemişse imanınız yararsızdır, siz de hâla günahlarınızın içindesiniz. Buna göre Mesih'e ait olarak ölmüş olanlar da mahvolmuşlardır. Eğer yalnız bu yaşam için Mesih'e umut bağlamışsak, herkesten çok acınacak durumdayız."[105]

Başka bir deyişle, eğer İsa dirilmemişse, Hristiyanlar acınası insanlardır.

Ama işin bir de öbür tarafı var. Eğer İsa *gerçekten* ölümden dirildiyse, o zaman her insan, O'nun söylediklerine inanmak, O'nu Kral olarak kabul etmek ve Kurtarıcı ve Rab olarak O'na teslim olmak zorundadır. Evet, arkadaşım, *sen* de dahil.

İşte bu yüzden, senin –evet, senden, şu anda bu kitabı okuyan kişiden bahsediyorum– İsa'nın dirilişi hakkında ne düşündüğünle ilgili bir karara varman çok önemli. Bu konuyla ilgili kararsız kalıp bir kenara çekilmek yetmez. Evet, bu konuyu düşünmelisin. Ya "Evet, böyle bir şey oldu, İsa ölümden dirildi ve ben O'nun iddia ettiği kişi olduğuna inanıyorum" ya da "Hayır, bence böyle bir şey olmadı ve O'nun iddialarını reddediyorum" demelisin. Zaman zaman insanların, dini iddialarla alakalı konularda yanlışa veya doğruya tam olarak ulaşılamayacağı için, dirilişle ilgili bir karara veya fikre sahip olmamanın daha mantıklı olduğunu söylediklerini duyarsınız. Ama daha önce de söylediğimiz gibi, Hristiyanlar, İsa'nın mezardan dirildiğini iddia ederken, burada *dini* bir iddiada bulunmuyorlar. Onlar *tarihi* bir iddiada bulunuyorlar. Jül Sezar'ın Roma İmparatoru olduğu ne kadar kesin ve gerçekse, bu olayın da o kadar kesin ve o kadar gerçek olduğunu söylüyorlar. Bu, düşünülüp araştırılabilecek, sorgulanabilecek ve bir sonuca varılabilecek türden bir iddiadır.

Sizce bu olay gerçekten oldu mu yoksa olmadı mı?

Hristiyanlarla ilgili temel gerçek şudur: *Biz bunun gerçekten olduğunu düşünüyoruz.*

---

105 1. Korintliler 15:14-19

Öğrencilerin toplu bir şekilde halüsinasyon geçirdiğini düşünmüyoruz. Onca kişinin, onca sefer, onca süre, onca farklı grup halinde İsa'yı gördüğü düşünüldüğünde, halüsinasyon iddiası kulağa mantıklı gelmiyor. Bu olaylar olurken, Yahudi önderlerin en son isteyeceği şey, dirilmiş Mesih'in etrafta geziniyor olduğu söylentisiydi. Böyle bir söylentiyi durdurmak için yapacakları ilk şey, cesedi çıkarmak ve bu iddiaya bir son vermek olurdu. Bunu hiç yapmadılar. Öte yandan, İsa bir şekilde çarmıhtan canlı kurtulmuş olsaydı, şüpheci ve inatçı takipçilerini nasıl o yaralı, bitkin, mızrakla delinmiş haliyle yaşamın Rab'bi ve ölümün Fatihi olduğuna ikna edecekti? Pek mümkün değil derim.

Hristiyanlar olarak bizler, İsa'nın öğrencilerinin bir tür düzen kurduğunu veya dolap çevirdiğini de düşünmüyoruz. Öyle yapıyor olsalar, bundan ne gibi bir kazanç elde edebilirlerdi ki? Hatta bir kazanç elde edemeyecekleri açık bir şekilde ortadayken bile (mesela bizzat kelleleri uçurulmadan veya bileklerine çiviler çakılmadan hemen önce), neden hâlâ bu iddiada ısrar etsinlerdi ki?

Hayır, bu bir tür halüsinasyon, düzen veya dolap değildi. Başka bir şey olmuştu ve olan şey, bu korkak, şüpheci insanları İsa'nın şehitleri ve tanıkları yapmıştı. Öyle etki yaratan bir şey olmuştu ki, bu insanlar, "İsa çarmıha gerildi, ama şimdi *yaşıyor!*" diyebilmek adına her şeye, işkencelere bile katlanacak hale gelmişlerdi.

Hükmetme, Yargılama ve Kurtarma Yetkisi

O ilk Pazar gününün sonrasında, İsa kırk gün boyunca öğrencilerine öğretilerde bulundu ve onları kendi krallığını bütün dünyaya ilan etmekle görevlendirdi. Sonrasındaysa İsa göğe yükseldi. Bu, kulağa bir başka mitolojik veya dini bir ifade gibi gelebilir ancak İncil yazarları buna böyle bakmamışlardı. Aslında aksine, İsa'nın göğe yükselişi akla gelebilecek en düz şekilde tasvir edilmiştir:

> "İsa bunları söyledikten sonra, onların gözleri önünde yukarı alındı. Bir bulut O'nu alıp gözlerinin önünden uzaklaştırdı. İsa giderken onlar gözlerini göğe dikmiş bakıyorlardı. Tam o sırada, beyaz giysiler içinde iki adam yanlarında belirdi. 'Ey Celileliler, neden göğe bakıp duruyorsunuz?' diye sordular. 'Aranızdan göğe alınan İsa, göğe çıktığını nasıl gördünüzse, aynı şekilde geri gelecektir.'"[106]

Bu olay öğrencilerin başlarını göğe kaldırıp şaşkınlıkla, "İsa nereye gitti?" diye bakmalarına sebep olmuştu. Bu, sadece ruhsal anlamda bir göğe yükselme değildi, fiziksel bir göğe yükselmeydi. Ama İsa'nın göğe yükseldiği *gerçeğinden* daha fazla öne çıkan şey, bu olayın taşıdığı önemdir. Görmeniz gerekir ki, göğe yükselme, İsa için bir çeşit hızlıca ve kolay bir şekilde ortadan kaybolma yöntemi değildi. Bu, Tanrı'nın İsa'yı tahtta oturttuğu ve O'na hükmetme, yargılama ve harika bir şekilde kurtarma yetkisini son ve tam olarak verdiği andır! Kendinizi bir günahkâr ve Tanrı'nın gazabını hak eden biri olarak biliyorsanız, İsa'nın şimdi evrenin tahtında oturuyor olması, sizin için harika bir haberdir. Bu, sonunda sizi yargılayacak olan yüce Kral'ın aynı zamanda sizi sevdiği ve sizi O'nun kurtuluş, merhamet ve lütuf uzatan elini tutmaya davet ettiği anlamına gelmektedir.

Kutsal Kitap şunu, tam da bu amaçla bize söyler: "Rab'bi adıyla çağıran herkes kurtulacak."[107] Bunun anlamı şu ki, İsa, dirilmiş ve hükmeden Kral, Tanrı'nın gökte ve yeryüzünde

---

106 Elçiler 1:9-11
107 Romalılar 10:13

bütün yetkiyi verdiği Kişi, bizi günahlarımızdan kurtarma hakkına ve yetkisine sahiptir.

Şimdi Ne Yapmalı?

Şimdi size şunu sorayım. Bunların hepsi gerçekten de doğruysa, bir sonraki adımınız ne olmalı? Eğer İsa gerçekten de ölümden dirildiyse, gerçekten de iddia ettiği kişiyse, şimdi ne yapmalı?

İsa'ya göre yapmanız gereken şeyi sizlere söyleyeyim. Bu zor veya karışık değil ve yapmamız gereken şeyin ne olduğunu, İsa bize açık bir şekilde söylediği için biliyoruz. İsa insanlara öğretilerde bulunurken, onları severken, onları günahlarıyla yüzleştirirken ve onlara kim olduğunu açıklayıp onları kurtarabileceğini söylerken, onların kendisine inanmalarını, bir başka deyişle O'na iman etmelerini istediğini tekrar tekrar dile getirdi. "Tövbe edin, Müjde'ye *inanın*" dedi. Bir İncil yazarı şöyle aktarır: "Çünkü Tanrı dünyayı o kadar çok sevdi ki, biricik Oğlu'nu verdi. Öyle ki, O'na *iman edenlerin* hiçbiri mahvolmasın, hepsi sonsuz yaşama kavuşsun."[108]

Maalesef bugün çoğu insan için *inanma* ve *iman etme* kelimeleri, anlam olarak içi boş bir hale gelmiştir. Belki de bazılarımız için bunlar, Noel Baba, Paskalya Tavşanı, periler, masallar ve sihirli ejderhalar gibi şeylerle bağdaştırdığımız ahmakça kelimelerdir. Ama yüzyıllar önce, *iman* ve *inanç* kelimeleri, tesir sahibi, ciddi kelimelerdi. Bunlar, söylendiklerinde güç, güvenilirlik ve sadakat bildiren, güvenilmeye layık kişileri ifade eden kelimelerdi. İsa insanlara, kendisine "inanmalarını" söylediğinde, tam da böylesi bir şeyden bahsediyordu. O kendisinin sadece gerçekten var olduğuna inanılmasını değil, O'na *bel bağlanılmasını* kastediyordu. İsa'nın

---

108 Markos 1:15; Yuhanna 3:16

güvenilmeye, uğruna hayatınızı adamaya layık olup olmadığına karar vermeniz için, O'nun iddialarına, sözlerine ve yaptıklarına bakmanız gerekiyor.

Ama bu tam olarak ne demektir? İsa'ya tam olarak ne için güveniyoruz? Açıkçası, Kutsal Kitap'ın tamamı bizlerin Tanrı karşısındaki isyancılar olduğumuzu anlatıyor. O'na karşı günah işledik, yasasına karşı geldik ve hayatlarımız üzerindeki yetkisini milyonlarca farklı şekilde bir kenara attık. İşte bu günahtan dolayı, günahın adil cezasını, yani ölümü hak ediyoruz. Fiziksel anlamda ölmeyi hak ediyoruz, evet, ancak daha da kötüsü, Tanrı'nın sonsuz gazabını üzerimize boşaltmasını hak ediyoruz. Ölüm, günahımızın bizlerin hesabına açtığı bedeldir. Dolayısıyla bu dünyada her şeyden çok ihtiyacımız olan şey, Tanrı'nın önünde suçlu olarak anılmaktansa, doğru olarak anılmaktır. Tanrı'nın bizim aleyhimizde değil, bizim lehimizde bir hüküm vermesine ihtiyacımız var. İsa'ya iman, işte burada devreye giriyor.

İsa'nın getirdiği iyi haber, müjde budur: İsa'nın gelmesinin bütün amacı, O'nun siz ve ben gibi günahkârların durması gereken yerde durması, baştan beri yapmamız gereken şeyi yapması ve karşımızdaki ölüm lanetini yatıştırmasıydı. İşte bu yüzden İsa'ya iman etmek, hayati öneme sahip bir iştir. İsa'ya inandığımızda, O'na güvenip O'na bel bağladığımızda, Kutsal Kitap'a göre bizler, O'nunla Kralımız, Temsilcimiz ve Yerimize Geçen Kişi olarak birleşmiş oluruz.

Yani birdenbire, hayatımız boyunca sabıka kaydımızda bulunan yanlışlarımız, itaatsizliğimiz ve Tanrı'ya karşı isyanlarımız İsa'ya yüklenir ve O, bu yüzden bizim yerimize, bizim uğrumuza ölür. Aynı zamanda, İsa'nın o kusursuz itaatkârlıkla ve Tanrı'yla paydaşlık içinde geçen yaşamı da *bize* yüklenir. Bu kusursuz yaşamla birlikte Tanrı, bizi doğru ilan eder.

Görüyor musunuz? Kurtuluşunuz için İsa'ya güvenerek O'nunla birleştiğinizde, muhteşem bir takas gerçekleşiyor: İsa günahınızı alıyor ve ölüyor. Siz de İsa'nın doğruluğunu alıyor ve bu sayede yaşıyorsunuz! Ama çok daha fazlası da var: İman aracılığıyla İsa'yla birleştiğinizde, Baba'ya mükemmel bir şekilde itaat etmesinden dolayı O'na *hak olarak* geçen her şey, aynı zamanda size de geçiyor! Kurtuluşun hiçbir bereketi, bizim doğuştan hakkımız değildir. Hiçbirini hak etmiyoruz. Ama bu bereketlerin hepsi İsa'nın hakkıdır ve bizler de, çaresizce ve güvenle O'na olan imanımız sayesinde, bu bereketleri alırız. Yani İsa doğru sayıldığı için, *siz* de doğru sayılırsınız. O yüceltildiği için, *siz* de yüceltilirsiniz. O ölümden dirildiği için, İsa'yla birleşerek *siz* de, daha sonra fiziksel olarak da dirilme vaadiyle, ruhsal yaşama diriltilirsiniz. İşte bu yüzden Kutsal Kitap, İsa'yı dirilişin "ilk örneği" olarak adlandırır.[109] O, hakkı olduğu için yaşar: bizse O'nunla olan birliğimiz sayesinde yaşarız.

Bunun anlamı, elbette İsa'nın dünya üzerindeki herkesi temsil ettiği veya herkesin yerine geçtiği değildir. Hayır, İsa kendisinin gerçekten kim olduğunu kabul eden, yapacağım dediği şeyleri gerçekten yapabileceğini kavrayan, O'na iman eden, O'na güvenen ve O'na bel bağlayanlar için bir Temsilci'dir. Bakın, bizler insanlar olarak, bizi yaratan Tanrı'ya açıkça isyan halindeyiz. Bu yüzden, Tanrı bizi kurtarmak adına hiçbir şey yapmak zorunda değildi. Hatta hepimizi yok edip bizleri cehenneme gönderebilirdi ve bu kusursuz yargısı için, melekler O'nu cennette sonsuza kadar yüceltirlerdi. "Yüceler Yücesi Tanrı'ya isyan edenlerin sonu her zaman böyledir!" derlerdi. Ama Tanrı, yalnızca ve yalnızca bizi sevdiği için biricik Oğlu İsa'yı, gelip O'nun önünde diz çökecek ve O'nu hak

---

109 1. Korintliler 15:20

sahibi Kral olarak görüp benimseyecek olan biz isyankârlara merhametini sunmak amacıyla göndermiştir. Biz bunu yaptığımızda, O da harika bir sevgiyle, kendi kusursuz yaşamını bizim hesabımıza aktararak ve bizi bekleyen ölüm hükmünü kendi üzerine alarak, bizim yerimize geçmeyi kabul eder. Bu, hayatlarınızda hiçbir yankı veya hiçbir değişiklik olmaksızın İsa'ya imandan söz edilebileceğiniz anlamına da gelmez. Hayır, İsa'ya iman etmeniz, O'nu Temsilciniz ve Yerinize Geçen Kişi olarak kabul ettiğiniz anlamına gelir. Başka bir deyişle, O'nu Kral olarak kabul edersiniz ve bu da, O'nun sizin hayatınızda yetkiyle hükmedeceği ve sizi Tanrı'ya karşı isyan ve günahtan geri dönmeye yönlendireceği anlamına gelir. Günahtan bu şekilde yüz çevirmeye, Kutsal Kitap *tövbe* der. Bu, İsa'ya daha çok benzeyebilmek adına, günbegün günaha karşı savaş ilan edip doğrulukta gelişmek anlamına gelmektedir. Ama bunu tek başınıza yapıyor da değilsiniz. İman aracılığıyla İsa'yla birleştiğinizde, Kutsal Kitap'a göre Kutsal Ruh, yani Üçlübirlik'in üçüncü kişisi, içinizde yaşamak üzere size gelir. Günahla mücadele edebilmek ve doğruluk yolunda ilerlemek üzere size güç ve istek verecek olan da bu Kutsal Ruh'tur.

İşte böyle! İsa'ya iman etmek demek budur. İman, kendinizi kurtarmanın hiçbir yolu yokken, kurtuluşunuz için O'na bel bağlamak demektir. İman, Tanrı'nın önünde kendi ayaklarınızın üstünde durabilme ve O'nun adil ölüm yargısına katlanabilme konusunda çaresiz olduğunuzu kavramak demektir. Daha da imkânsız olarak, Tanrı sizin sabıkanıza baktığında, iyi ve doğru bir kişi olduğunuza asla kanaat getirilmeyeceğini anlamanız demektir. Ama İsa'ya iman etmenin bir diğer anlamı da, İsa'nın sizin gibi günahkârlar adına Tanrı'nın ölüm hükmünü kendi başına *zaten* karşıladığına, ihtiyacınız olan aklanmayı *zaten* kazandığına ve tek umudunuzun da yüzde yüz O'na bel bağlamak ve O'nun sizin yerinizi almasi olduğuna inanmaktır.

Ölümden dirilmiş ve göklerde hükmetmekte olan Kral İsa'nın, her insanı yapmaya davet ettiği şey tam olarak budur. Bu açık bir davettir. Gizli şartları veya sınırları yoktur. Kral İsa'nın eli, açık ve sonsuza kadar insanoğluna uzatılmış bir şekilde durmayacaktır ama şimdilik elini hala uzatmaktadır. Tek soru sizin bu eli tutup tutmayacağınız, O'nu kabul ederek diz çöküp çökmeyeceğiniz ve Tanrı'nın yargısı karşısında sizin yerinizi almasına güvenip güvenmeyeceğinizdir. Ya da aksi takdirde bu yargı karşısında tek başınıza durup duramayacağınıza siz karar verin.

Seçim sizin. En azından bir süreliğine.

Son Sözler

Siz O'nun Kim Olduğunu Söylüyorsunuz?

En azından bir süreliğine.

Bu, laf olsun veya havalı görünsün diye söylenmiş bir şey değildir. Gerçek şu ki, İsa'nın merhamet ve lütufla uzanan eli sonsuza kadar açık kalmayacaktır. Bir gün, belki de çok yakında, lütuf günü sona erip yargı günü gelecek. İsa çarmıhtaki ölümü yaklaşırken, bir gün tekrar gelerek insanlığı ilk ve son olarak yargılayacağını vaat etti. Bu yüzden kurtuluş, merhamet ve lütuf gününün bir sonu vardır ve bu da, bir gün seçiminizin olmayacağı anlamına gelmektedir. Seçim, sizin adınıza yapılacak ve bu seçim de, sizin Tanrı'dan, İsa'dan sonsuzlara dek uzağa sürülmeniz olacaktır.

"İsa kimdir?" sorusuna şimdi bir cevap bulmanız, sizin için işte bu yüzden çok önemlidir. Umarım, bu kitabı okumak, en azından bu sorunun güzelce ertelenip hasıraltı edilecek bir soru olmadığını anlamanıza yardımcı olmuştur. İsa'yla ilgili ne düşünüyor olursanız olun, şu gerçek ortadadır: Siz ve Tanrı'yla olan ilişkiniz hakkında, İsa'nın bazı gerçekten güçlü ve hatta bazen hayatınıza müdahale edecek nitelikte iddiaları vardır. Tabii ki bu iddiaları görmezden gelebilirsiniz (hatta yeterince zorlarsanız, her şeyi görmezden gelebilirsiniz). Ama biri çıkıp size, "Sen, seni yaratan Tanrı'ya karşı isyan eden birisin ve Tanrı'nın senin için yargısı ölüm. Ama ben senin yerini almaya, cezayı senin yerine çekmeye ve seni kurtarmaya geldim" dediğinde, bu kişi dikkatinizi vermeniz gereken bir kişi olabilir.

Belki de İsa'ya iman etmeye hazır değilsinizdir. Eğer öyleyse, neden? Başka ne sorularınız var? Sizi iman etmekten alıkoyan ne? Bunların ne olduğunu tespit ettikten sonra bunları bir kenara atıp hayatınıza devam etmeyin. Bunları derinden inceleyin. Cevapların peşinden koşun. Bu konu ("İsa kimdir?" konusu), hayati öneme sahiptir. Görmezden gelip bir kenara atmayın. Eğer "Hayır, İsa'nın Kutsal Kitap'ın iddia ettiği kişi olduğuna inanmıyorum; İsa'nın, kendisi hakkında söylediklerine inanmıyorum" sonucuna varırsanız, öyle olsun. En azından düşünüp bu sonuca vardınız.

Ama sevgili dostum, sana yakarışım şudur: Yargı gününde kendini, "Keşke daha derin düşünseydim, keşke konunun peşini bırakmasaydım, keşke cevaba ulaşmak için daha çok zaman harcasaydım!" derken bulma. Çünkü o son günde, hayatındaki diğer bütün pişmanlıklar bunun yanında hafif kalacaktır.

Ama öte yandan, belki de zaten şöyle demeye hazırsınız: "Evet, ben gerçekten İsa'nın Kral, Tanrı Oğlu, Acı Çeken Kul olduğunu düşünüyorum. Tanrı karşısında bir günahkâr ve isyankâr olduğumu biliyorum ve İsa'nın beni kurtarabileceğini de biliyorum." Eğer gerçekten öyleyse, bilmeniz gerekiyor ki, Hristiyan olmak zor bir şey değildir. Yapmanız gereken özel törenler, söylemeniz gereken özel sözler veya yerine getirmeniz gereken özel eylemler yoktur.

Tek yapmanız gereken şey, günaha sırtınızı dönmek ve kurtuluşunuz için İsa'ya güvenmek, O'na dayanmak ve O'na bel bağlamaktır.

Sonraysa dünyaya haykırın! İsa işte *budur.* O, benim gibileri kurtaran kişidir.

Ve tıpkı
senin
gibileri de!

KİTAP SERİSİNE DAİR

9Marks kitap serisi, iki temel fikir üzerine kurulmuştur. Bunlardan ilki, yerel kilisenin Hristiyanlar için taşıdığı önemin, aslında onların düşündüğünden çok daha büyük olmasıdır. 9Marks olarak bizler sağlıklı bir Hristiyan'ın, sağlıklı bir kilise üyesi olduğuna inanıyoruz. İkincisi, yerel kiliseler yaşamlarını Tanrı'nın Sözü etrafında kurdukça kilise yaşamı büyür ve kilise canlılık kazanır. Tanrı konuşmaktadır. Kiliseler de O'nu dinlemeli ve O'nun ardından gitmelidir. Durum bu kadar basittir. Bir kilise Tanrı'yı dinlediğinde ve O'nun ardından gittiğinde, ardından gitmekte olduğu Kişi'ye benzemeye başlar. O'nun sevgisini ve kutsallığını yansıtır. O'nun yüceliğini gözler önüne serer. Bir kilise, ancak O'na kulak verdiği ölçüde O'na benzeyecektir.

Bu hususta okuyucular da fark edecektir ki, Mark Dever'ın *Sağlıklı Bir Kilisenin Dokuz İşareti / Nine Marks of a Healthy Church* (Crossway Books) adlı kitabından alınan "9 işaretin" tümü, Kutsal Kitap'la başlamaktadır:

- Açıklayıcı vaaz;
- Kutsal Kitap teolojisi;
- Kutsal Kitap'a dayalı Müjde anlayışı;
- Kutsal Kitap'a dayalı Mesih'e dönme anlayışı;
- Kutsal Kitap'a dayalı müjdeleme anlayışı;
- Kutsal Kitap'a dayalı kilise üyeliği anlayışı;
- Kutsal Kitap'a dayalı kilise disiplini anlayışı;
- Kutsal Kitap'a dayalı öğrenci yetiştirme ve büyüme anlayışı; ve
- Kutsal Kitap'a dayalı kilise önderliği anlayışı.

Kiliselerin sağlıklı olmak için yapması gereken şeylere dair, dua etmeleri gibi, daha birçok şey söylenebilir. Ancak bu dokuz prensip, bize göre (duadan farklı olarak) en çok göz ardı edilenlerdir. Dolayısıyla kiliselere vermeye çalıştığımız mesaj şudur: "En iyi pazarlama yöntemlerine ve yeni trendlere bakmayın; Tanrı'ya bakın. İşe tekrar Tanrı'nın Sözü'nü dinleyerek başlayın."

9Marks kitap serisi, bu genel projemiz doğrultusunda ortaya çıkmıştır. Bu kitaplar, bahsettiğimiz dokuz işarete odaklanmakta ve onları farklı açılardan ele almaktadır. Bazı kitaplar pastörleri, bazılarıysa kilise üyelerini hedef almaktadır. Umuyoruz ki bu kitaplar, insanların Kutsal Kitap'ın bakış açısıyla değerlendirmeler yapmalarını, teolojik anlamda akıl yürütmelerini, mevcut kültürü gözden geçirmelerini, toplu bir biçimde uygulamaya geçmelerini ve belki biraz da olsa bireysel anlamda teşvik bulmalarını sağlayacaktır. En iyi Hristiyan kitapları, her zaman hem teolojiyi hem de uygulamayı bir araya getiren kitaplar olmuştur.

Duamız, Tanrı'nın bu kitabı ve diğerlerini kullanarak gelinini, yani kiliseyi, kendi geliş günü için nur ve ihtişamla hazırlamasıdır.

9Marks

Building Healthy Churches

9Marks hizmeti, kilise önderlerini Kutsal Kitap'a bağlı bir vizyon ve kullanışlı kaynaklarla donatmak amacıyla, Tanrı'nın yüceliğini sağlıklı kiliseleri kullanarak dünyadaki bütün uluslara yansıtmak için kurulmuştur.

Bu nedenle, aşağıdaki 9 işaret, sağlıklı kiliselerde görmek istediklerimizi özetler niteliktedir:

1. Açıklayıcı vaaz;
2. Kutsal Kitap teolojisi;
3. Kutsal Kitap'a dayalı Müjde anlayışı;
4. Kutsal Kitap'a dayalı Mesih'e dönme anlayışı;
5. Kutsal Kitap'a dayalı müjdeleme anlayışı;
6. Kutsal Kitap'a dayalı kilise üyeliği anlayışı;
7. Kutsal Kitap'a dayalı kilise disiplini anlayışı;
8. Kutsal Kitap'a dayalı öğrenci yetiştirme ve büyüme anlayışı;
9. Kutsal Kitap'a dayalı kilise önderliği anlayışı.

9Marks'da bizler makaleler, kitaplar, kitap eleştirileri ve online makaleleri yayınlıyoruz. Web sitemiz çeşitli dilleri kapsıyor. Diğer dilleri görmek için lütfen şu linki ziyaret edin:

9marks.org/about/international-efforts

9marks.org

CPSIA information can be obtained
at www.ICGtesting.com
Printed in the USA
LVHW021431180820
663485LV00004B/246